Inhoud

4

BIZARRE DOLFIJNENWEETJES

36

GLIBBERDEGLIBBER
DOE DE SLIJMQUIZ

53

Wie is deze griezel?

83

ECHT OF NEP?
WEET JIJ WELKE DIEREN ECHT BESTAAN?

Colofon

Een uitgave van DPG Media Magazines BV - Hoofddorp
Eerste druk 2021
ISBN 978 94 6305 5796
NUR 214

HOOFDREDACTIE: Inge Derksen
DIRECTEUR DPG MEDIA: Erik Roddenhof
DIRECTEUR MAGAZINES: Joyce Nieuwenhuijs
REDACTIE: Tess Dumitru, Koen Lorijn (stagiair), Jill van Remundt (stagiair), Willemijn Swarte
VORMGEVING: Lucy Crain, Paulien Jansen (frl), Kirsten Vermeulen (frl artdirector)

REDACTIESECRETARIAAT: Holly Holsboer
MEDEWERKERS: Kristel Bosua, Yvette Hoogenboom (frl), Johan Lambrechts (frl), Mirthe Niehoff (frl), Frans Rappange (frl), Mirjam Rosema-Verhulst (frl)

DRUKKER: Spaudos Kontura
Distributie voor Nederland: Aldipress BV, De Meern, 030 - 666 0611.

Ga voor een abonnement op jouw favoriete tijdschrift naar Zozitdat.nl.

2021 DPG Media Magazines BV. Niets uit deze

D0123657

VROLIJKE VRIEND ÉN VECHTERSBAAS:
DE DOLFIJN

Dat dolfijnen slim zijn en speels weet iedereen. Maar wist je dat die vrolijke vriend ook een dodelijk wapen én een eigen naam heeft?! Neem een flinke teug lucht en duik in de wereld van de dolfijn!

Denk je aan een dolfijn, dan zie je direct een tuimelaar voor je. Niet zo gek, deze gestroomlijnde kracht-patser zwemt in bijna alle oceanen rond en slooft zich graag uit met metershoge sprongen. Toch is de tuimelaar maar één van de ongeveer 40 dolfijnsoorten. De meeste van deze tandwalvissen leven in de oceaan, waar hun leefwijze erg kan verschillen. Terwijl sommige soorten liever dicht bij de kust blijven, leggen andere duizenden kilometers per jaar af op open zee.

KLIK IN HET DONKER

Vijf dolfijnsoorten kom je niet tegen in de oceaan. Zij leven in grote rivieren in Azië en Zuid-Amerika. Deze rivierdolfijnen herken je aan hun lange, smalle snuit. Daarmee happen ze met gemak visjes tussen planten en stenen vandaan. In het troebele rivier-water komt de echolocatie van de dolfijnen goed van pas. Ze bestoken hun omgeving met hoge klikjes. De weerkaatsing van die geluidjes wordt door hun kaken opgevangen en aan de hersenen doorgegeven. Die maken daarmee een 'plaatje' van de omgeving. Hé, een lekker visje!

DE RIVIERDOLFIJN HEEFT VEEL LAST VAN VERVUILING, SCHEEPVAART EN DAMMEN.

DOLFIJNEN STAMMEN AF VAN HOEFDIEREN

Weten hoe dat zit? Scan de code!

DE RUGVIN VAN EEN ORKA-MANNETJE IS TWEE KEER ZO GROOT ALS DIE VAN EEN VROUWTJE.

HAPJE HAAIENLEVER

Behalve de tuimelaar is er nog een andere dolfijnsoort die iedereen kent: de orka! Deze zwart-witte kolos is écht een dolfijn, de grootste om precies te zijn. Het is een machtig roofdier, dat door zijn grootte en het jagen in een groep zelfs de witte haai de baas is. Van deze grote prooi eet de orka maar één deel: de lever! Daarin zitten de meest voedzame stoffen.

VISSENBAL

Ook de andere dolfijnsoorten zijn uitstekende jagers. Ze gebruiken verschillende trucs om hun prooi te vangen. Bijvoorbeeld door met meerdere dolfijnen rondjes om een school vissen te draaien. De arme beestjes zitten daardoor gevangen in een grote 'vissenbal'. De zeezoogdieren zwemmen hier om beurten dwars doorheen en eten zo hun buikje rond. Soms jagen ze hun prooi richting een strand of een andere groep dolfijnen. Ook dan kunnen de vissen geen kant meer op. Smullen maar!

TUIMELAARS ZWEMMEN SOMS IN GROEPEN VAN WEL DUIZEND DIERENEN

DOLFIJN

FLUITJE VAN EEN CENT

Dolfijnen zijn sociale beesten die samenwerken tijdens de jacht. Ze lijken daarbij voortdurend met elkaar te praten. Dolfijnen kwetteren, klikken en fluiten wat af! Maar wat zeggen ze eigenlijk? Tja, dat zouden biologen ook graag willen weten! Eén ding hebben ze wel ontdekt: de dieren hebben elk een eigen fluitgeluidje dat ze als naam gebruiken. Onderzoekers kwamen erachter dat dolfijnen de 'fluitnamen' van oude groepsgenoten na jaren nog herkennen.

SNUITWACHTERS

Sommige dolfijnen speuren liever de zeebodem af naar lekkere hapjes dan dat ze zwemmende visjes vangen. Met dat gewroet moeten ze alleen wel oppassen: met een beetje pech haalt-ie z'n snuit open aan scherpe stenen. Dolfijnen bij West-Australië hebben daar iets op gevonden. Voor ze beginnen met wroeten, gaan ze op zoek naar een spons. Met dit zachte zeedier in hun bek is hun snuit goed beschermd!

BEUKEN EN BIJTEN

Dolfijnen vriendelijke beesten? Daar denken bruinvissen heel anders over! Tuimelaars vallen deze kleine zeezoogdieren regelmatig aan. Ze beuken en bijten hun slachtoffers tot ze dood zijn. Zo richten ze soms hele slachtpartijen aan. Waarom? Biologen weten het niet zeker, maar denken dat mannetjes zo oefenen op het doden van… jonge tuimelaars! Het is een gewoonte die je ook bij leeuwen ziet. Om zelf voor nakomelingen te kunnen zorgen, maken mannetjes de kleintjes dood waarvan zij niet de vader zijn. Wie had dat gedacht…

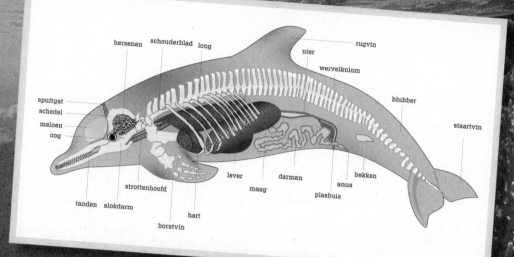

hersenen schouderblad long nier rugvin

spuitgat

schedel

meloen

oog

wervelkolom

blubber

staartvin

strottenhoofd

lever maag darmen anus bekken

tanden slokdarm hart plasbuis

borstvin

NEUS ZONDER GATEN

Waarom heeft de dolfijn eigenlijk geen neusgaten? In miljoenen jaren tijd zijn die bij de zeezoogdieren verplaatst van de snuit naar de bovenkant van de kop. Bij tandwalvissen is daar nog maar één neusgat van over: het spuitgat. Deze opening is alleen verbonden met de longen, niet met de bek.

ZWEMMEN MET DOLFIJNEN?

Dolfijnen zoeken graag contact met andere dieren en soms ook met mensen. Toch vinden biologen het beter om ze met rust te laten en bijvoorbeeld niet met ze te gaan zwemmen. Het contact verstoort hun natuurlijke gedrag. Bovendien zijn dolfijnen, ondanks hun eeuwig grijns, ook weleens boos. En dan kun je maar beter uit hun buurt blijven…

HALVE SLAPER

Een dolfijn heeft longen en moet dus regelmatig naar boven voor een teug verse lucht. Maar hoe doe je dat als je ligt te snurken? Simpel: het zeezoogdier slaapt steeds maar met één hersenhelft. De andere helft blijft wakker! En dat is niet alleen handig om adem te halen. Door voor de helft wakker te blijven, houdt hij ook roofdieren in de smiezen!

TEKST: RICHARD DE ROOIJ • FOTO'S: SHUTTERSTOCK, WIKIPEDIA

ROBOTVLIEG

BS74

DIERENZOEKER

Oeps! De letters van deze dieren zijn door elkaar gehusseld. Weet jij welke dieren het zijn? Zoek ze in de puzzel. Er blijven een paar letters over. Die vormen samen het antwoord op deze vraag: wat doet een Kaapse grondeekhoorn in de zomer met zijn staart?

D	B	E	V	E	R	G	I	Z	E
D	R	A	A	P	I	U	L	E	T
G	E	R	B	R	R	U	I	B	N
I	A	L	A	O	K	S	D	R	A
T	G	F	K	B	A	L	O	A	F
A	T	N	L	D	E	H	K	L	I
I	D	Y	A	E	J	E	O	A	L
L	N	N	U	L	S	W	R	P	O
X	A	W	A	R	S	A	K	S	O
D	R	A	A	P	L	J	I	N	L

REBE	WEULE	TRA
~~BREEV~~	PUIDALAR	SNALG
SAD	XNYL	FLOW
RIFAG	LAPANIJRD	BREZA
OLAAK	FILOTAN	
RIKODLOK	DAPAN	

PUZZEL: MIRTHE NIEHOFF

9

WAAR OF niet waar?

Er gaan de vreemdste verhalen rond. Weet jij welke wel en welke niet waar zijn? Kleur je keuze in en check je antwoord op bladzijde 95.

1

DE RODE FLUWEELMIER KAN KOEIEN VERMOORDEN.
○ WAAR ○ NIET WAAR

2

VROEGER WAREN ER ALLEEN RODE APPELS.
○ WAAR ○ NIET WAAR

3

TIJDENS HET SPORTEN GROEIEN JE SPIEREN.
○ WAAR ○ NIET WAAR

4

ALLEEN MANNETJES KREKELS TJIRPEN.
○ WAAR ○ NIET WAAR

5

JE BREIN GEBRUIKT EVENVEEL ENERGIE ALS EEN SPAARLAMP.
○ WAAR ○ NIET WAAR

6

FRUITBOMEN KUNNEN TIJDENS KOUDE LENTEDAGEN BESCHERMD WORDEN DOOR EEN LAAGJE IJS.
○ WAAR ○ NIET WAAR

7

EEN BLAUWE VINVIS MAAKT DE MEESTE HERRIE VAN ALLE DIEREN OP DE WERELD.

- ○ WAAR
- ○ NIET WAAR

8

ALS JE OP DE AARDE 30 KILOGRAM WEEGT, WEEG JE OP DE MAAN 5 KILOGRAM.

- ○ WAAR ○ NIET WAAR

9

EEN BIJ VLIEGT ZO'N 20 KILOMETER PER DAG.

- ○ WAAR ○ NIET WAAR

10

EEN PAARD KAN ZIEK WORDEN VAN PAARDENBLOEMEN.

- ○ WAAR
- ○ NIET WAAR

11

IN NEDERLAND ZIJN NOOIT TORNADO'S.

- ○ WAAR
- ○ NIET WAAR

12

JE KUNT PLAS VAN KAMELEN GEBRUIKEN ALS SHAMPOO.

- ○ WAAR ○ NIET WAAR

TEKST: KOEN LORIJJN, JILL VAN REMUNDT • FOTO'S: SHUTTERSTOCK

OM DIT TRUCJE ONDER DE KNIE TE KRIJGEN, ZONK ROBBIES MOTOR ECHT HEEL VAAK!

WIELEN OP HET WATER

Dit is Robbie Maddison, de man die dingen doet die onmogelijk zijn. Zoals crossen op het water. Maar Robbie bewijst: het kan! Met zijn motorfiets sjeest hij kilometers hard over het water. Hoe? Onder de wielen van de motor zijn ski's gemonteerd. En met de juiste topsnelheid rijdt-ie net diep genoeg door het water. Met al dat opspattende water ziet het er maar wat vet uit!

 TEKST: YVETTE HOOGENBOOM • FOTO: SAMO VIDIC/ RED BULL CONTENTPOOL

DOORDENKER

Deze foto's lijken precies hetzelfde, maar er zijn zes verschillen. Zie jij ze?

ZOEK DE VERSCHILLEN

Kijk voor alle oplossingen op bladzijde 95, 96, 97 en 98.

MOPPEN

WAAROM VERFT EEN ZEBRA Z'N STREPEN BLAUW?

Zodat je hem niet ziet als hij gaat surfen

Twee surfers zien elkaar op zee. Zegt de een: "Hai!" Zegt de ander: "Waar?!"

HIHIHI

HEB JE OOIT EEN ZEBRA ZIEN SURFEN DAN?

Nee, dat komt dus door die blauwe strepen

Joost is op safari. De gids vraagt aan hem: "Noem vijf grote dieren die we hier in Afrika kunnen spotten?" Joost: "Twee leeuwen en drie olifanten!"

Er lopen twee katten door de woestijn. Zegt de ene tegen de andere: "Wow, dit is een grote kattenbak!"

Zucht ... "Vroeger was alles beter."

"Waarom?"

"Nou, toen konden we hier nog verstopper- tje spelen".

Joost is op safari en ziet een leeuw. Hij begint keihard te rennen, maar de leeuw haalt hem al snel in. Zegt de leeuw: "Tikkie, jij bent 'm!"

HAHAHA

HET IS ZWART MET WIT EN SPRINGT MET GEMAK DRIE METER HOOG.

Een springuin

WAT WEET JIJ VAN KOLIBRIES?

QUIZ

1 Waar vliegen de meeste kolibries rond?

A In Australië

B Op de Noordpool

C In Zuid-Amerika

2 Hoe groot is de kleinste kolibrie?

A Even groot als je pink.

B Even groot als je hand.

C Even groot als je arm.

3 Waarom heeft de kolibrie een lange snavel?

A Hiermee kan hij regenwormen uit de grond pulken.

B Hiermee kan hij zaadjes uit planten pikken.

C Hiermee kan hij nectar uit bloemen slurpen.

4 Wat kan een kolibrie wat andere vogels niet kunnen?

A Salto's maken

B Ondersteboven vliegen

C Achteruit vliegen

16

Kijk voor alle oplossingen op bladzijde 95, 96, 97 en 98.

Ze zijn het kleinst van alle vogels. Maar groots in de bijzondere dingen die ze kunnen. Hoeveel kennis heb jij van deze vogels? Test 't!

5 Hoe heet deze kolibrie?

A Langsnuitkolibrie

B Prikstokkolibrie

C Zwaardkolibrie

6 Hoe kan een kolibrie stil in de lucht blijven hangen?

A Door zijn vleugels supersnel op en neer te slaan.

B Door zijn vleugels rond te draaien als een helikopter.

C Dat kan hij helemaal niet.

7 Welke kleur bloemen vindt een kolibrie de mooiste?

A Blauw

B Rood

C Geel

TEKST: MIRTHE NIEHOFF • FOTO'S: SHUTTERSTOCK

Een unicum

PLASTICZAK
Zakkus plasticus

■ **Grootte:** 45 cm lang bij 26 cm breed
■ **Voeding:** Vervuilend.
■ **Kenmerken:** Is giftig, vermoordt dieren en is verantwoordelijk voor plasticsoep door de nalatigheid van de mens.

Diepte: Overal	Leefgebied

VET VREEMD!

Vertel deze vreemde weetjes aan je vrienden en niemand zal je geloven!

IN SINGAPORE IS HET VERBODEN OM IN JE NAKIE DOOR JE EIGEN HUIS TE LOPEN.

OOK EEN OLIFANT KAN SPINNEN ALS HIJ TEVREDEN IS.

EEN AMERIKAANSE KEVER VERSIERT EEN MANNETJE DOOR SCHEETJES TE LATEN.

DOOR DE DE ZON KAN JE HAAR IN DE ZOMER WEL TWEE KEER ZO SNEL GROEIEN ALS IN DE WINTER.

PFFFT

PFFFT

IN PARAGUAY MAG JE MET ELKAAR VECHTEN, MAAR ALLEEN ALS BEIDE VECHTERSBAZEN BLOEDDONOR ZIJN.

DRUIVEN KUNNEN IN ROZIJNEN VERANDEREN VOOR ZE ZIJN GEPLUKT ALS HET SUPERHEET IS BUITEN.

EEN SCHEET VERLAAT JE KONT MET ELF KILOMETER PER UUR.

DE TONG VAN EEN KAMELEON IS TWEE KEER ZO LANG ALS ZIJN LICHAAM.

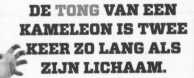

TEKST: JILL VAN REMUNDT • FOTO'S: SHUTTERSTOCK

OP REIS NAAR IENIEMINI LANDEN

Op de wereldkaart moet je goed kijken om Nederland te kunnen zien. Maar in vergelijking met deze piepkleine staatjes is ons land gigantisch!

HET EILANDJE NAURU HEEFT SLECHTS TWEE HOTELS MAAR DE MEESTE POSTKANTOREN PER INWONER TER WERELD.

Gewichtig eilandje

De kleinste republiek ter wereld is maar een klein tikkie groter dan Disneyland Parijs. Nauru is een eilandje midden in de Stille Oceaan. President Lionel Aingimea regeert er over niet meer dan 14.000 inwoners. Vroeg of laat komt iedereen elkaar daar dus weleens tegen. Helaas heeft het piepkleine land ook nog een ander record: nergens anders ter wereld zijn er zoveel inwoners die met overgewicht kampen. Maar liefst 94,5 procent van de bevolking is veel te zwaar.

PASPOORT
LAND: NAURU
OPPERVLAKTE: 21 VIERKANTE KILOMETER
INWONERS: 14.000

Olympische ambities

Heb je ooit van San Marino gehoord? Dit landje heeft de afmeting van het eiland Texel en is de oudste republiek ter wereld. Het is ook een van de rijkste landen die er bestaan. Toeristen gaan er vooral naartoe om belastingvrij kleding en elektronica te shoppen. Allemaal een stuk goedkoper dan bij ons! De San Marinezen zelf zijn vooral dol op voetbal. De sportievelingen doen met deze sport al jaren mee aan de Olympische Spelen!

PASPOORT
LAND: SAN MARINO
OPPERVLAKTE: 61 VIERKANTE KILOMETER
INWONERS: 34.232

Dun bevolkt

32 voetbalvelden. Groter is de kleinste onafhankelijke staat ter wereld niet. In Vaticaanstad is de paus staatshoofd. Het land ligt midden in de stad Rome. Met z'n 825 bewoners is het 't dunstbevolkte landje ter wereld. Maar het heeft alles wat een groot land ook heeft: een eigen rechtbank, een politiedienst, brandweerkorps en een radiostation. Alle medewerkers daarvan wonen echter niet in Vaticaanstad zelf, maar erbuiten.

PASPOORT

LAND: VATICAANSTAD
OPPERVLAKTE: 0,44 VIERKANTE KILOMETER
INWONERS: 825 (VOORAL PRIESTERS EN NONNEN)

WIST JE DAT...

...DE EUROBILJETTEN IN VATICAANSTAD EEN AFBEELDING VAN DE PAUS HEBBEN? VEEL MENSEN VOEGEN ZO'N BIJZONDER BRIEFJE GRAAG AAN HUN VERZAMELING TOE!

Rijkeluisland

Fiets je door Monaco, dan heb je het hele land binnen tien minuten gezien. Het dwergstaatje aan de Middellandse Zee is maar twee kilometer breed. Waarom er zo veel mensen wonen, terwijl er maar zo weinig plek is? Omdat Monaco naast een mooie badplaats ook een belastingparadijs is. Wie er woont, hoeft geen belastingen over zijn inkomsten te betalen! De perfecte plek voor miljonairs dus. Gelukkig kunnen die hun geld wél achterlaten in het Monte Carlo Casino, een van de beroemdste casino's ter wereld.

DE PRIJS PER VIERKANTE METER VOOR EEN HUIS IN MONACO IS 41.400 EURO. IN DE DUURSTE GEMEENTE VAN NEDERLAND, BLARICUM, IS DAT 'MAAR' 6.235 EURO .

PASPOORT

LAND: MONACO
OPPERVLAKTE: 2,03 VIERKANTE KILOMETER
INWONERS: 38.682

TEKST: JOHAN LAMBRECHTS • FOTO'S: SHUTTERSTOCK, JASON BLACKEYE - UNSPLASH.COM

TOP 3 ONDERWATER-SPORTEN

Kun jij lang je adem inhouden? Dan zijn deze sporten misschien iets voor jou. Je speelt ze namelijk onder water.

1

ONDERWATERHOCKEY

Schiet onder water met een klein stickje de puck in de goal. Zo werkt onderwaterhockey. Best moeilijk, want je tegenstander zwemt niet alleen voor of achter je, maar ook boven je. Het moment waarop je ademhaalt is bij deze sport superbelangrijk. Je wilt niet zonder adem zitten als je op het punt staat te scoren!

2

Freediving

Wil je een langere tijd duiken, dan neem je een duikfles met lucht mee. Maar niet bij freediving. Bij deze sport daal je af in de onderwaterwereld met alleen je longen en speciale ademhalings-technieken. Geniet hier van de natuur, ga speervissen of speel zeemeerminnetje.

3

ONDERWATER-RUGBY

Wat krijg je als je waterpolo en rugby met elkaar combineert? Onderwaterrugby! Bij deze sport moet je een bal in de korf van de tegenstander droppen. Die bal zit vol zout. Hierdoor gaat hij niet drijven, maar is-ie ook niet te zwaar om hem te kunnen 'gooien'.

 TEKST: MIRTHE NIEHOFF • FOTO'S: GETTY IMAGES, SHUTTERSTOCK

HANDIGE OPSLAG

ZOEK 'T UIT

1 ☐

2 ☐

3 ☐

TOERIST IN EIGEN BOEK

Op welke toeristische plekken zijn deze kiekjes gemaakt? Vul in!

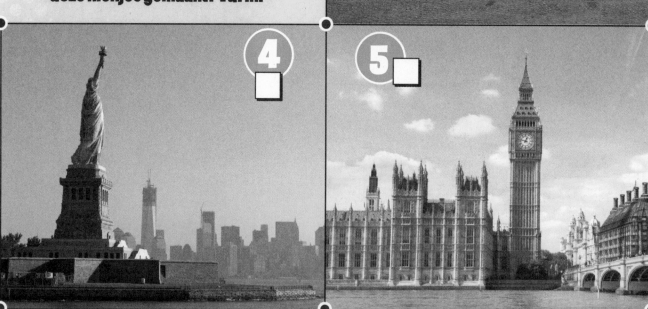

4 ☐

5 ☐

A. Barcelona •
B. Rio de Janeiro •
C. Dubai • D. Londen
E. Parijs • F. New York
• G. Moskou • H. Pisa •
I. Amsterdam • J. Berlijn
• K. Rome

6 ☐

7 ☐

8 ☐

9 ☐

10 ☐

11 ☐

STRANDBINGO

☐ ZEEMEEUW

☐ HONDENDROL

☐ SCHEERMESJE

☐ DIKKE, VETTE KWAL

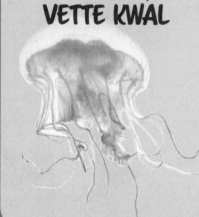

☐ SLAKKENHUIS

☐ PARASOL

☐ ZEESTER

☐ VLIEGTUIG

☐ HARTSCHELP

Ga naar het strand en kijk goed om je heen. Kruis aan wat je ziet. Volle kaart? Bingo!

☐ MUS

☐ GAPER

☐ VEER

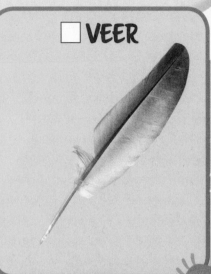

☐ AANGESPOELD PLASTIC*

*Je krijgt extra punten als je 't weggooit!

☐ HANGMAT

☐ KRAB

☐ VLIEGER

☐ VUURTOREN

☐ BILNAAD

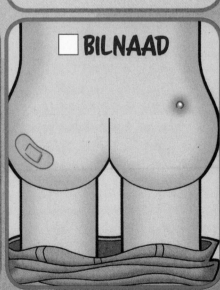

FOTO'S: SHUTTERSTOCK • ILLUSTRATIE: JORDI PETERS

MET 330 METER IS DE BAILONG-LIFT DE ALLERHOOGSTE BUITENLIFT TER WERELD!

Glazen bakje

In het Chinese nationale park Zhangjiajie weet je niet wat je ziet. Indrukwekkende rotsen, pilaren, oneindige vergezichten en... een lift?! Deze glazen (wha!) Bailong-lift is voor een deel verborgen in een rotswand. In minder dan twee minuten sjees je pijlsnel naar boven. Daar vind je het uitkijkpunt. Krijg je al knikkende knieën bij het idee? No worries: de top is ook in tweeënhalf uur wandelend te bereiken.

DOORDENKER

Deze onderwaterwereldfoto's lijken precies hetzelfde, maar er zijn zes verschillen te vinden. Zie jij ze?

ZOEK DE VERSCHILLEN

Kijk voor alle oplossingen op bladzijde 95, 96, 97 en 98.

FOTO: SHUTTERSTOCK • PUZZEL WILLEMIJN SWARTE

WAAR OF niet waar?

Er gaan de vreemdste verhalen rond. Weet jij welke wel en welke niet waar zijn? Kleur je keuze in en check je antwoord op bladzijde 95.

2 VOGELS HIJGEN ALS ZE HET WARM HEBBEN.
◯ WAAR
◯ NIET WAAR

1 IN DE ZOMER KUN JE SKIËN IN EUROPA.
◯ WAAR ◯ NIET WAAR

3 JE KUNT ALLE SMAKEN IJS MAKEN.
◯ WAAR ◯ NIET WAAR

5 DE VULKAAN DE ETNA KRUIPT LANGZAAM NAAR DE ZEE.
◯ WAAR ◯ NIET WAAR

4 EEN KANGOEROE KAN WEL TIEN METER VER SPRINGEN.
◯ WAAR ◯ NIET WAAR

6 EEN ZEEDRUIF IS EEN WATERPLANTJE.
◯ WAAR
◯ NIET WAAR

7

ER LEVEN WEL 29 VERSCHILLENDE HOMMELSOORTEN IN NEDERLAND.
○ WAAR ○ NIET WAAR

8

EEN ONDERZEEËR LOOPT VOL MET WATER ALS-IE ONDER WATER DUIKT.
○ WAAR ○ NIET WAAR

9

○ WAAR
○ NIET WAAR
JE GEBRUIKT GEMIDDELD 50 LITER WATER PER DAG.

10

IN NEDERLAND WONEN MEER DAN 1,7 MILJOEN HONDEN.
○ WAAR ○ NIET WAAR

11

JE SPROETEN VERDWIJNEN NA DE ZOMER.
○ WAAR ○ NIET WAAR

12

PPPFFFFT
PPPFFFFFT

VOGELS KUNNEN GEEN SCHEETJES LATEN.
○ WAAR ○ NIET WAAR

13 ER ZWEMMEN KROKODILLEN IN DE ZEE.
○ WAAR ○ NIET WAAR

TEKST: JILL VAN REMUNDT • FOTO'S: SHUTTERSTOCK

Samenwerkingsverbond

WOON JIJ SAMEN MET EEN GARNAAL?

ZOALS DE MEESTE ZEE-GRONDELS.

DE GARNALEN GRAVEN JE HOL, GELOOF IK!

EN ZE HOUDEN HET SCHOON OOK. ZE BRENGEN ZAND EN AFVAL NAAR BUITEN!

GRAAF GRAAF GRAAF

NOEM HET MET 'N PLECHTIG WOORD EEN 'SAMENWERKINGSVERBOND'. ZIJ HOUDEN HET NEST SCHOON...

EN OMDAT ZIJ BLIND ZIJN, WAAR-SCHUW IK ZE ALS ER GEVAAR DREIGT. DAAROM RAKEN ZE ME VOORTDUREND AAN MET HUN ANTENNE.

MAAR... EH... WAAROM HEB JE DEZE GARNAAL DAN NIET GEWAARSCHUWD?

ARGH! MJAM! SKRUNSJ! KRAK...

DIE GARNAAL BETAALT AL VIER MAANDEN LANG GEEN HUUR MEER. IK HAD ER MIJN BUIK VAN VOL!

MJAM! SKRUNSJ! HAP! SJROK! KROK! SJMEK! MJEM!

DE PISTOOLGARNAAL
Alpheus djeddensis

- **Grootte:** tot 4 cm.
- **Voeding:** Schaaldieren, zoöplankton.
- **Kenmerken:** Gigantische groep. Van de Alpheus zijn meer dan 80 soorten zeegarnalen bekend.

| Diepte: 5 tot 20 meter | | Leefgebied |

WELKE GAMEHELD BEN JIJ?

Stel je eens voor: jij speelt de hoofdrol in een te gekke game! Wie zou je zijn en wat zou je kunnen? Stel in drie stappen je eigen gamefiguur samen en bedenk welke skills hebt.

1. DE EERSTE LETTER VAN JE VOORNAAM

A. Koning(in)
B. Strijder
C. Gemene
D. Machtige
E. Baas
F. Brute
G. Struikelende
H. Achteruitlopende
I. Supersterke
J. Sneaky
K. Hikkende
L. Magische
M. Krachtige
N. Afgeleide
O. Door vuur springende
P. Vallende
Q. Breakdancende
R. Betweterige
S. Held(in)
T. Onhandige
U. Opzichter
V. Boze
W. Uitblinker
X. Hysterische
Y. Showstelende
Z. Mopperende

2. DE MAAND WAARIN JE GEBOREN BENT

Januari: Zelda
Februari: Pacman
Maart: Mario
April: Rayman
Mei: Peach
Juni: Donkey Kong

Juli: Link
Augustus: Crash
September: Creeper
Oktober: Sonic
November: Bowser
December: Tricera Ops

3. DE DAG WAAROP JE DIT JAAR JARIG BENT

Maandag: de sloomste
Dinsdag: de verschrikkelijke
Woensdag: de gekste
Donderdag: de snelste
Vrijdag: de heldhaftige
Zaterdag: de overwinnaar
Zondag: de onmogelijke

DIT BEN JIJ!

1 _____ 2 _____ 3 _____

SKILLS

Mijn geheime talent is: versnellen/ achtervolgen/afluisteren/onzichtbaar zijn*

Ik kan heel goed: racen/duiken/springen/ sprinten/huppelen/vliegen*

En dit kan ik ook:

....

*Omcirkel de skill van jouw keuze.

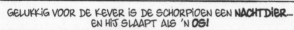

QUIZ

Het is glibberig, groenig en op de gekste plekken te vinden: slijm. Wat weet jij over dit goedje? Quiz 't!

DE SUPERSLIJMERIGE QUIZ

3

Welk ingrediënt heb je niet nodig om zelf slijm te maken?

A Lijm

B Lenzenvloeistof

C Nagellakremover

1

Hoeveel snot en ander slijm maak je per dag?

A Een lepel vol

B Een beker vol

C Een fles vol

4

Wat is niet waar?

A De groente okra moet je goed koken, anders is-ie te slijmerig.

B In Engeland wordt dit jaar een heus slijmfestival gehouden.

C Je snot opeten is heel gezond.

2

Waar in je lichaam wordt slijm gemaakt?

A In de slijmkamers van je neus

B In je slijmvliezen

C In je slijmputjes

5 Waarom maakt een slak slijm?

A Om makkelijker over straat te glijden.

B Om beter te kunnen slikken.

C Om niet te verbranden in de zon.

6 Op de huid van slijmprikken zit veel slijm. Hoe krijgen ze dit eraf?

A Ze vegen het slijm af aan de bodem van de zee.

B Ze wringen zich in een knoop en schrapen zo het slijm eraf.

C Ze hebben bevriende vissen die het slijm opeten.

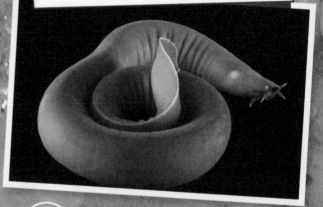

7 Welk beest schiet slijmkanonnen af?

A De fluweelworm

B De slijmvis

C De pistoolgarnaal

8 Waar helpt slijm niet bij?

A Het tegenhouden van indringers in je lijf.

B De vorming van je stem.

C De flexibiliteit van je tong.

TEKST: MIRTHE NIEHOFF • FOTO'S: SHUTTERSTOCK

Wist je dat we meer weten over het heelal dan over de diepzee? Maar gelukkig zijn sommige plekken wel bereikt door robots of onderzeeërs. Zo weten we welke bijzondere dingen er op de bodem van de oceaan te vinden zijn.

HOE ZIET DE BODEM VAN DE OCEAAN ERUIT?

KORAALRIF

Ze zien eruit als plantjes, maar koralen zijn eigenlijk dieren! Hun skeletten zijn gemaakt van kalksteen dat ze zelf aanmaken, en in ondiep water groeien ze gezellig bij elkaar.

GEZONKEN STAD

Het waterpeil van de oceaan kan stijgen: ijskappen smelten, land zinkt en vulkanen barsten uit – zowel boven als onder water. Hierdoor slokt het stijgende water complete steden op.

SNELLE QUIZ

1 Hoe noem je een bergketen onderwater?

2 Hoe heet de diepste plek in de oceaan?

3 Wat voor soort steen maken koralen?

1. MID-OCEANISCHE RUG, 2. MARIANENTROG, 3. KALKSTEEN

SCHEEPSWRAK

Door slecht weer, gevaar onder water zoals ijsbergen, of door oorlog kunnen schepen zinken. Allerlei zeewezens vinden zo'n wrak een perfecte woonplek.

KUSSENLAVA

Op de bodem van de oceaan zijn zachte basaltrotsen te vinden; de nieuwste rotsen ter wereld! Deze 'kussens' ontstaan door vulkaanuitbarstingen onder water, waarbij de lava langzaam hard wordt.

Het diepste punt in de oceaan is bijna elf kilometer: 10.928 meter om precies te zijn. Dat is veel dieper dan de Mount Everest hoog is!

DE VIJF OCEANEN

Meer dan 70 procent van het hele aardoppervlak is bedekt met water! Deze enorme watermassa bestaat uit vijf oceanen: de Atlantische Oceaan, de Grote of Stille Oceaan, de Indische Oceaan, de Zuidelijke Oceaan en de Noordelijke IJszee.

MID-OCEANISCHE RUG

Een oceaanrug bestaat uit een lange rij bergen op de bodem van de oceaan. Die ontstaat als aardplaten uit elkaar bewegen en er magma uit de grond omhoog borrelt.

HYDROTHERMALE BRON

Dit is een soort onderwater-geiser! Door barsten in de oceaanbodem komt zeewater in de buurt van magma. Dit spuit als loeiheet water omhoog.

ONDERZEEKABEL

Enorm lange onderwaterkabels verbinden telefoons en zorgen voor wifi tussen verschillende continenten. Een speciaal schip kan maar liefst 4.000 kilometer kabel in één keer vervoeren én plaatsen.

ONDERZEESE VULKAAN

Als magma door scheuren in de bodem van de oceaan opborrelt, onstaan er laagjes steen. Zo ontstaat er een kegelvormige berg, ofwel een vulkaan! En net als op het land kan die onder water ook uitbarsten!

MOPPEN

WAT IS GEEL EN LACHT JE UIT?

Bananananana

Er lopen twee krokodillen over het strand. Ze zien een surfer voorbij komen. Zegt de een tegen de ander: "Ah, we krijgen ons eten vandaag op een bordje!"

Wat is het toppunt van geduld?

Een vis op de muur tekenen en wachten tot-ie wegzwemt.

WAT IS PAARS MET BLAUW?

Een tomaat met een skinnyjeans

MAAR EEN TOMAAT IS TOCH ROOD?

Zijn skinny zit te strak!

HAHAHA

Joost komt bij de dierenarts met z'n goudvis in z'n hand. De dokter zegt: "Ah, ik zie het al. Hij is uit de kom."

WELKE POKÉMON IS ZELFS IN DE ZOMER VERKOUDEN?

Pikahtjoe

Waarom is een orka zwart, wit en rond?

Als hij zwart, wit en plat was, was hij een zebrapad.

ER ZIT WAT TUSSEN JE TANDEN!

Smile!

Dit aapje heeft al heel wat meegemaakt. Hij werd als baby'tje bij z'n ouders weggehaald en als huisdier verkocht. Gelukkig is hij gered en nu woont hij in het Chimpanzee Conservatie Centrum in Guinee. Hier gaat-ie naar de 'bosschool'. Hij leert alles over leven in het wild. Samen met 60 andere apen die gered zijn. Gezellig hoor!

JIJ WORDT WEER

**Het regent pas echt als buienradar het zegt.
Toch voel je soms druppels op je neus terwijl
er op je scherm geen wolkje te zien is. Dat kan
beter! Kijk niet op je telefoon, maar om je heen.
De natuur voorspelt het weer.**

Zul je altijd zien: ben je net van plan om de hele dag buiten te spelen, is er noodweer op komst. En je had nog wel zo goed de weersvoorspellingen in de gaten gehouden. Gelukkig geeft de natuur genoeg signalen om zelf de weerman of vrouw uit te hangen. Met deze tips weet jij precies wanneer je naar buiten kunt, of wanneer je liever een schuilplekje zoekt.

Lekker blijven fietsen

Zie je in de blauwe lucht kleine witte wattenbolletjes hangen? Die heten **cumulus** of stapelwolken. En betekenen: niets aan de hand! Zelfs als de onderkant wat donkerder wordt, hoef je je geen zorgen te maken. Uit deze wolken valt geen drup.

WOLKEN SPREKEN DE WAARHEID

Stap één in de weersvoorspellingskunde: wolken herkennen. De vorm, kleur en hoogte van een wolk vertellen je of jij lekker buiten kunt blijven spelen. Er zijn wel tien verschillende soorten wolken, maar deze vijf zijn het handigst om te onthouden. Ze komen vaak voor en zijn makkelijk te onderscheiden.

Bewolkt maar droog

De **stratocumulus** vormt een mix tussen cumulus en stratus. Deze uitgestrekte wolkenvelden 'met gaten' blijven soms dagenlang hangen. Een lekker zonnetje hoef je dus niet snel te verwachten, maar het goede nieuws is dat er geen neerslag uit deze wolken valt.

VOORSPELLER!

DEZE 5 WOLKENLUCHTEN MOET JE KENNEN!

Kans op regen

Een grote grijze wolk die zo ver rijkt als je kunt kijken. Dat is de **stratus**. De grijze deken voorspelt niet altijd regen. Let daarom goed op de kleur: donkergrijs betekent druppels in aantocht, lichtgrijs betekent: vest aan en verder fietsen. Daalt de wolk nog verder, dan gaat het misten!

Regenkleding klaarleggen!

Bij mooi weer spot je soms prachtige, fijne veren in de lucht. Dat is **cirrus**. Op het moment dat je ze ziet is er niets aan de hand, maar hou ze wel in de gaten. Als de cirruswolken toenemen en dikker worden, wordt het binnen 24 à 48 uur slecht weer. Morgen regenjas aan dus!

Snel naar huis!

De uitslover onder de wolken is de **cumulonimbus**. Een donkere wolk die wel tien tot vijftien kilometer hoog wordt. En dat voorspelt niets goeds: de gigantische wolkenmassa zit bomvol waterdruppeltjes en ijsdeeltjes. Dat belooft regen, hagel, onweer en soms zelfs sneeuw. Hangt deze jongen boven je hoofd, dan wil je één ding: snel naar huis!

LEES VERDER >

GEFLOTEN WEERBERICHT

Kijk je naar de vogels in je tuin, dan is 't net alsof je naar het weerbericht zit te kijken. Deze slimme beestjes reageren supersnel op luchtdrukveranderingen. En die zorgen voor een verandering in het weer. Deze signalen kun je in de gaten houden.

Stilte in de zaal!

De hele dag fluiten ze uit volle borst. Maar stoppen vogels ineens met zingen? Dan komt er heel snel slecht weer aan. Ook om te weten wanneer de bui weer over gaat, moet je goed luisteren. Zodra de vogels weer beginnen met kwetteren is het einde in zicht en breekt de zon snel door.

Laagvliegers

Ook kun je letten op waar de vogels vliegen. Vlak voor een flinke regenbui vliegen zwaluwen veel lager dan normaal. Niet zodat ze snel kunnen schuilen, maar omdat het insecteneters zijn. Insecten gaan bij een lagere luchtdruk lager bij de grond vliegen. Dan is er namelijk minder warme lucht. Die lage luchtdruk zorgt er ook voor dat er slecht weer op komst is. De slimkezen zijn dus niet de zwaluwen, maar hun hapjes!

De kleur van de lucht

Een mooie rode hemel 's avonds na zonsondergang wil zeggen dat er mooi weer in aantocht is. Maar zie je een rode lucht net vóór zonsopgang? Dan zit de kans erin dat het in de komende twaalf uur gaat regenen. Die rode lucht ontstaat doordat de stralen van de opkomende zon weerkaatsen tegen hoge cirruswolken (daar heb je ze weer!).

ANDERE VERKLAPPERS

Er zijn nog meer dingen waar je op kunt letten. Sommige zeggen iets over wat er binnenkort in de lucht hangt, en andere voorspellen het weer van de volgende dag. Kijk maar eens mee!

De wind

Waait het al een poosje helemaal niet? Goed nieuws: het mooie weer blijft nog wel even. Maar begint het te waaien, dan verandert de rest van het weer snel mee. In de gaten houden dus, die wind!

PLANTEN

Sommige planten doen 't prima als miniweerstation. Kijk goed om je heen naar deze plantjes.

Dennenappel:
hangt er regen in de lucht, dan sluit een dennenappel zijn schubben.
Paardenbloem:
deze bloem opent zich alleen voor de zon. Is er bewolking op komst, dan sluit hij zich snel!
Klaverblaadjes:
tussen de grassprieten zie je ze niet direct zitten, maar als je goed kijkt, zie je dat klaverblaadjes zich sluiten als er regen aankomt.

DATUM: _____

WEERSVOORSPELLING:
_____
_____
_____
_____

KLEUR DE THERMOMETER IN.

Je eigen weerstation maken in de tuin of op het balkon? Maak met dit proefje je eigen barometer.

TEKST: JOHAN LAMBRECHTS, TESS DUMITRU • FOTO 'S: SHUTTERSTOCK , UNSPLASH.COM

VIRTUAL REALITY

ABC'TJE

Hieronder zie je het alfabet, maar er ontbreken een paar letters. Welk woord kun je maken met die ontbrekende letters?

B	C	E	F	G	H	I	J	K	L
M	O	P	Q	U	V	W	X	Y	Z

Oplossing:

BLOKKEN TELLEN

Dit bouwwerk ziet er aan de achterkant hetzelfde uit als aan de voorkant. Uit hoeveel blokken bestaat het?

Oplossing:

RARE SOM

Kun jij uitrekenen welke getallen de cirkel, het vierkant en de driehoek moeten voorstellen?

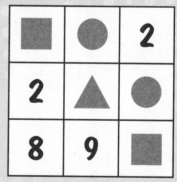

+

Oplossing:

 =

 =

 =

NET NIET

Welke dobbelsteen kan niet gemaakt zijn met de uitgeklapte dobbelsteen?

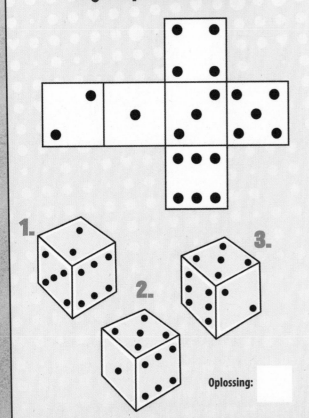

1.

2.

3.

Oplossing:

MAGISCH DRIEHOEK

Hoe veel driehoeken zie je hier?

Oplossing:

LASTIGE LETTER

Welke letter staat links van de letter die boven de letter links van de letter boven de m staat?

A	B	C	D	E
F	G	H	I	J
K	L	M	N	O
P	R	S	T	U
V	W	X	Y	Z

Oplossing:

Kijk voor alle oplossingen op bladzijde 95, 96, 97 en 98.

WAAR OF niet waar?

Er gaan de vreemdste verhalen rond. Weet jij welke wel en welke niet waar zijn? Kleur je keuze in en check je antwoord op bladzijde 96.

1

STRUISVOGELS KUNNEN MET EEN SNELHEID VAN 75 KILOMETER PER UUR RENNEN.

● WAAR ● NIET WAAR

2

EEN STRUISVOGEL KAN ÉÉN KILOMETER VER KIJKEN.

● WAAR ● NIET WAAR

3

EEN STRUISVOGELS WORDT NET ALS EEN EZEL VAAK INGEZET OM SPULLEN TE SJOUWEN.

● WAAR ● NIET WAAR

4

HET BREIN VAN EEN STRUISVOGEL IS KLEINER DAN ZIJN OOG.

● WAAR ● NIET WAAR

5

STRUISVOGELS MAKEN VAAK EEN PIEPEND GELUID.

● WAAR ● NIET WAAR

PIEIEP

6

DE STRUISVOGEL IS DE ENIGE VOGEL DIE NIET KAN VLIEGEN.

● WAAR ● NIET WAAR

7 ALS ER GEVAAR NADERT, STEEKT EEN STRUISVOGEL ZIJN KOP IN HET ZAND.
● WAAR ● NIET WAAR

8 VAN EEN STRUISVOGELEI MAAK JE MAKKELIJK 24 OMELETTEN.
● WAAR ● NIET WAAR

9 STRUISVOGELS ZIJN DE GROOTSTE LEVENDE VOGELSOORT.
● WAAR ● NIET WAAR

10 WILDE STRUISVOGELS ZIJN VAAK BEVRIEND MET ZEBRA'S EN ANTILOPEN.
● WAAR ● NIET WAAR

11 STRUISVOGELS HEBBEN NET ALS JIJ VIJF TENEN PER VOET.
● WAAR ● NIET WAAR

12 EEN STRUISVOGELMANNETJE KAN Z'N NEK OPBLAZEN ALS EEN BALLON.
● WAAR ● NIET WAAR

TEKST: JILL VAN REMUNDT • FOTO'S: SHUTTERSTOCK, UNSPLASH.COM

Caihong

CAIHONG

Betekenis: Regenboog
Tijdperk: Jurassique supérieur (-160 millions d'années)
Orde / familie: Saurischia / Anchiornithidae
Lengte: 40 cm
Gewicht: 500 gr.
Voeding: Carnivoor
Fossielen: China

DEZE VIS IS EEN ZWEMMENDE BROEDMACHINE

Een mond vol

De tijgerkardinaalvis ziet er met zijn bek open monsterlijk uit. Maar eigenlijk is hij best een goedzak. Achter die vlijmscherpe tanden verstopt hij namelijk een hele school aan... baby's! Als het mannetje een vrouwtje bevrucht, verzamelt hij de eitjes. Deze bewaart hij in zijn mond. Af en toe doet-ie zijn bek open om te spoelen. Totdat de eitjes uitkomen eet het mannetje niets. Als je goed kijkt, zie je in de eitjes kleine zwarte stipjes: de oogjes van de babyvisjes!

TEKST: YVETTE HOOGENBOOM • FOTO: IMAGE SELECT

100%

GEVAARLIJKE QUIZ

Pas op: deze gevaarlijke quiz laat je sidderen!
Niet voor angshazen en bangebroeken.

1 Je staat oog in oog met een neushoorn, wat kun je beter niet doen?

A In een boom klimmen

B Hem laten schrikken

C Stil blijven staan

2 Welk dier is giftiger?

A Een python

B Een kegelslak

C Een vogelspin

3 Het onweert buiten. Waar ben jij het veiligst?

A In de auto

B Onder de douche

C Onder de tafel

4 Wat is het veiligste land ter wereld?

A IJsland

B Nederland

C Nieuw-Zeeland

Kijk voor de oplossing op bladzijde 95, 96 , 97 en 98.

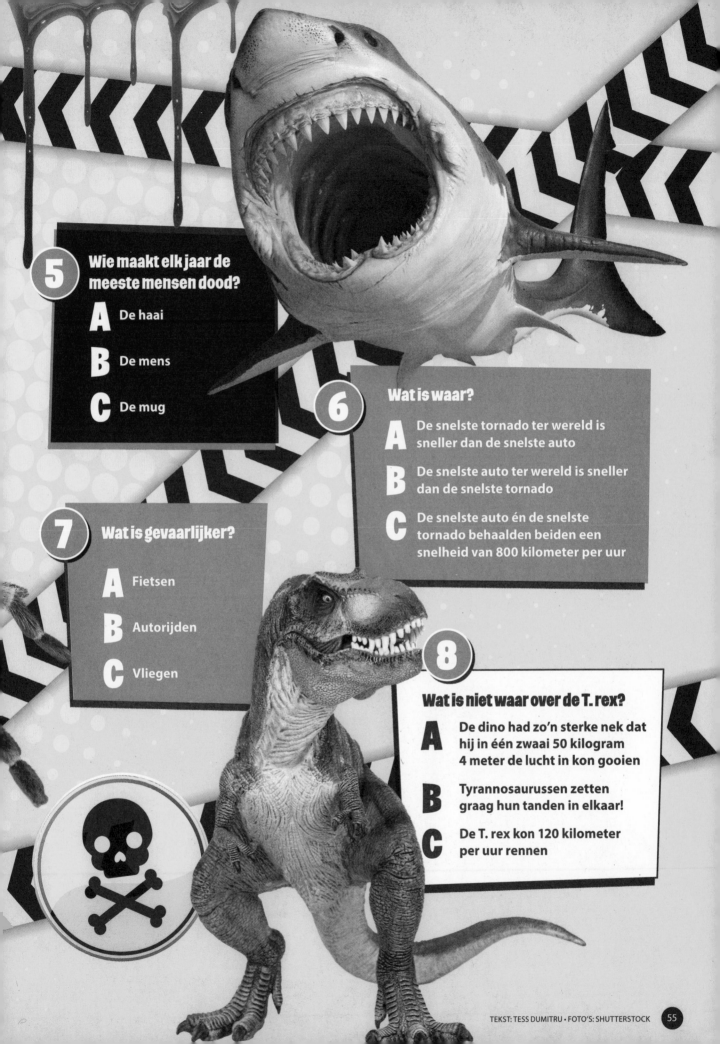

5 Wie maakt elk jaar de meeste mensen dood?

A De haai

B De mens

C De mug

6 Wat is waar?

A De snelste tornado ter wereld is sneller dan de snelste auto

B De snelste auto ter wereld is sneller dan de snelste tornado

C De snelste auto én de snelste tornado behaalden beiden een snelheid van 800 kilometer per uur

7 Wat is gevaarlijker?

A Fietsen

B Autorijden

C Vliegen

8 Wat is niet waar over de T. rex?

A De dino had zo'n sterke nek dat hij in één zwaai 50 kilogram 4 meter de lucht in kon gooien

B Tyrannosaurussen zetten graag hun tanden in elkaar!

C De T. rex kon 120 kilometer per uur rennen

GOEIE VRAAG

WAT WAS ER EERDER:

DE KIP OF HET EI?

Het leven op aarde is behoorlijk ingewikkeld. Dieren en planten veranderen en er ontstaan steeds nieuwe soorten. De allereerste kip? Die kwam uit een ei van een ander dier!

Kippen eten steentjes. Die helpen hun spiermaag het eten te vermalen. Dinosaurussen hadden ook zo'n spiermaag!

DINOSAURUS-EI
Dinosaurussen kwamen uit een ei, net als vogels nu. Vogels stammen af van de dino's, ze zijn een soort geëvolueerde dinosaurussen.

FLUFFY VEREN
De velociraptor was niet veel groter dan een kip. Ze stammen beiden af van dezelfde, nog onbekende dinosaurus!

WAT IS EVOLUTIE?

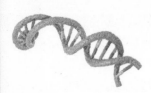

DNA

Alle planten en dieren bestaan uit DNA. In DNA dat op elkaar lijkt, zie je dat sommige soorten wel héél erg op elkaar lijken. Ze hebben dezelfde voorouders, maar hebben zich anders ontwikkeld. Precies zo dat ze goed kunnen overleven. Dat is evolutie.

FOSSIELEN

Fossielen zijn overblijfselen van oude plant- of diersoorten. De kenmerken van sommige fossielen zie je terug in dieren die vandaag nog leven. Ze zijn nét een tikkie anders door evolutie..

GEPEPERDE MOT

Donkere, gepeperde motten kwamen op een gegeven moment veel vaker voor dan lichtgekleurde motten, zij konden zich beter verstoppen voor roofdieren. Deze mot was duidelijk geëvolueerd.

SNELLE QUIZ

1. Hoe oud zijn de overblijfselen van de oudste bacteriën?

2. Zijn krokodillen ook familie van de dinosaurussen?

3. Wanneer zijn de dinosaurussen uitgestorven?

1. BIJNA VIER MILJARD JAAR • 2. NEE, DE VOOROUDERS VAN KROKODILLEN BESTONDEN AL VOORDAT ER DINO'S WAREN • 3. ONGEVEER 65 MILJOEN JAAR GELEDEN

HET EERSTE LEVEN OP AARDE

De allereerste levende wezens waren vormloze amoeben en bacteriën. De oudste bacterie ooit is gevonden in een rots, deze is bijna vier miljard jaar oud!

Amoebe

FAMILIE VAN DE DINO

Bijna alle dinosaurussen zijn al 65 miljoen jaar geleden uitgestorven. Slechts enkele nakomelingen hebben het wél overleefd, zij veranderden langzaam maar zeker in vogels. Dit noem je evolutie.

KIPPENKLAUWEN

Het is je misschien nooit zo opgevallen, maar vogels – en dus ook kippen – hebben veel dino-achtige kenmerken: kippen hebben dezelfde holle, lichte skeletten, ongeveer gelijke longen en harten, en... kleine klauwen!

VET VREEMD!

Vertel deze vreemde weetjes aan je vrienden en niemand zal je geloven!

OLIFANTEN ZIJN LINKS- OF RECHTS-TANDIG. DE SLAGTAND DIE ZE HET VAAKST GEBRUIKEN IS EEN TIKKIE KORTER DAN DE ANDER.

DE ANTILOPE IS EEN STER IN HARDLOPEN. DE LIERANTILOPE HAALT WEL 90 KILOMETER PER UUR.

DE GROENE MEERKAT IS EEN GRIJZE AAP MET BLAUWE BALLEN.

EEN STRUIS-VOGELBREIN WEEGT MINDER DAN 4 OREO'S.

HET FOSSA-MANNETJE HEEFT STEKELS OP Z'N PIEMEL.

EEN WOESTIJNVOS KAN MET ZIJN GIGANTISCHE OREN INSECTEN ONDER DE GROND HOREN GRAVEN.

EEN BABYHYENA WORDT GEBOREN UIT DE PIEMEL VAN ZIJN MOEDER.

CHIMPANSEES SLAPEN IN EEN NEST.

DE ADDAX IS ZÓ GOED AANGEPAST OP HET LEVEN IN DE WOESTIJN DAT HIJ BIJNA NOOIT HOEFT TE DRINKEN.

DE TONG VAN EEN OKAPI IS LANG GENOEG OM Z'N OREN MEE SCHOON TE LIKKEN.

DE HOORN VAN EEN NEUSHOORN IS GEEN BOT, MAAR VAN HETZELFDE MATERIAAL ALS JOUW NAGELS.

DE SPRINKHAANZWERMEN DIE AFRIKAANSE LANDEN KUNNEN TERRORISEREN, ETEN PER DAG NET ZO VEEL ALS 2.500 MENSEN.

BLAUWOOGMAKI'S, MENSEN EN ENKELE SLINGERAPEN ZIJN DE ENIGE PRIMATEN DIE BLAUWE OGEN KUNNEN HEBBEN.

EEN GIRAF KAN NIET GAPEN.

TEKST: TESS DUMITRU • FOTO'S: SHUTTERSTOCK, GETTY IMAGES

Spoorferomonen

ALS EEN WERKMIER VOEDSEL VINDT...

WOEHA! ALS DE MEIDEN DAT ZIEN!

...LAAT ZE OP HAAR WEG TERUG NAAR HET NEST MET TUSSENPOZEN EEN CHEMISCH SPOOR ACHTER.

WRIJF WRIJF

MET DEZE 'SPOORFEROMONEN' MARKEREN MIEREN DE WEG, ZODAT ZE DIE GEMAKKELIJK KUNNEN TERUGVINDEN.

?

KOM MEE!

JULLIE ZULLEN OPKIJKEN!

HIER IS HET!

DAAR!

DAAR!

HOP!

SNUF!

SNUF!

EH...

ZEG...

EN NU IS HET...

JE HEBT DE SPOREN VEEL TE VER UIT ELKAAR GELEGD!

WAT?

HUM...

BRAVO! DUS WE GAAN MET LEGE HANDEN TERUG?

IK WEET TOCH ZEKER DAT ...

POK POK

O NEE! NIET MET LEGE HANDEN!

?

IK LOOP DAT EIND NIET VOOR NIKS!

GENADE! EET ME NIET OP! IK ZEG TOCH DAT IK HET SPOOR ZAL VINDEN! ECHT!

BRUGGEN BOUWEN

Je ziet hier allemaal eilanden. Bouw er bruggen tussen! Op elk eiland staat hoe veel bruggen het heeft. De bruggen mogen alleen van links naar rechts en van boven naar beneden lopen. Dus niet schuin! Ook mogen ze elkaar niet kruisen. Tussen twee eilanden liggen niet meer dan twee bruggen. Twee bruggen zijn al voorgedaan.

TIP: BEGIN MET DE EILANDEN MET DE HOOGSTE GETALLEN

Kijk voor alle oplossingen op bladzijde 95, 96, 97 en 98.

DROOG, DROGER,

Onze aarde mag dan voor bijna driekwart bedekt zijn met water, toch zijn er plekken waar er bijna nooit een druppel regen valt. Dit zijn de droogste plekken op aarde!

IJswoestijn

Dat Antarctica de koudste plek op aarde is, wist je vast. Maar het is óók de droogste. De Droge Valleien van McMurdo zijn de grootste sneeuwvrije gebieden van Antarctica. Het heeft er sinds veertien miljoen jaar (!) niet meer geregend of gesneeuwd. Hoe dat komt? Voornamelijk door de katabatische winden. Dat zijn valwinden van koude lucht die sneeuw en ijs onmiddellijk wegblazen. Die winden halen snelheden van maar liefst 322 kilometer per uur. Brr!

PASPOORT
WAAR: MCMURDO
LIGT IN: ANTARCTICA
NEERSLAG: 0 MM (IN 14 MILJOEN JAAR TIJD!)

HET ENIGE TEKEN VAN LEVEN VIND JE IN DE ZOUTE WATERLAAG ONDER HET GEBIED. HIER WONEN ALLEEN PIEPKLEINE MICROBEN.

Droog door de zee

Vlak bij de Chileense stad Arica, op de grens met Peru, vind je de Atacamawoestijn. Dit is de droogste woestijn ter wereld buiten de poolgebieden. Op sommige plekken in deze woestijn heeft het al 500 jaar niet meer geregend! Dat komt door de hoogte, de wind en de Humboldt-zeestromingen. Die zorgen ervoor dat er heel weinig zeewater verdampt. Op sommige plekken in de woestijn zoals de vallei Valle de la Luna leeft geen enkel dier, zelfs geen bacterie.

VALLE DE LA LUNA BETEKENT MAANVALLEI. JIJ SNAPT VAST WEL WAAROM!

PASPOORT
WAAR: ATACAMAWOESTIJN
LIGT OP: DE GRENS VAN PERU EN CHILI
NEERSLAG: 0,761 MM/JAAR

DROOGST

Alleen de rivier is nat

Wil je op vakantie naar een lekker droog en interessant gebied? Dan is Luxor de perfecte plek. Hier regent het vrijwel nooit, en de temperatuur is er met 22 graden Celsius in de winter goed te doen. En extra leuk: je vindt er echte archeologische hoogtepunten van het Oude Egypte. Zo is het beroemde graf van Toetanchamon er te vinden en ook dat van andere farao's. En… de rivier de Nijl. Deze rivier zorgt ervoor dat het goed toeven is in de stad. Water is er ondanks de weinige neerslag genoeg te vinden!

PASPOORT
WAAR: LUXOR
LIGT IN: EGYPTE
NEERSLAG: 0,862 MM/JAAR

IN DE EGYPTISCHE WOESTIJN IS DE KAMEEL DE ABSOLUTE KONING. IN EEN KAMELENBULT ZITTEN VETRESERVES, HIERDOOR KAN HET DIER DAGENLANG ZONDER ETEN. EEN KAMEEL ZWEET OOK NIET EN KAN DUS MAKKELIJK TWEE WEKEN ZONDER VOCHT.

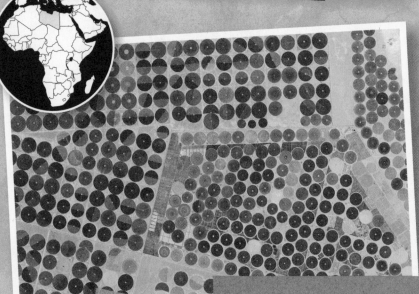

PASPOORT
WAAR: AL-KUFRAH
LIGT IN: LIBIË
NEERSLAG: 0,860 MM/JAAR

Slimme cirkels?

In dit kurkdroge gebied van 48 kilometer lang en 19 kilometer breed, in het zuidoosten van Libië valt geen drup. Toch is het de mensen in Al-Kufrah gelukt om 'eilandjes' landbouw te creëren. Op deze cirkelvormige akkertjes verbouwen ze sinds een paar decennia gewassen. Helaas zorgt het ervoor dat de droogste plek van Afrika nóg droger wordt. Alle natuurlijke oases zijn hierdoor namelijk ook drooggelegd. Hopelijk blijven de Libiërs creatief en bedenken ze ook daar weer een oplossing voor!

ZWAARGEWICHTEN

Een dier dat 100 gram weegt, lijkt niet zwaar. Maar als je weet dat het een insect is, verandert dat de zaak. Deze beesten zijn echte zwaargewichten in hun categorie!

1

ZEEKOLOS

De eerste prijs voor zwaarste zeedier gaat naar de blauwe vinvis. Alleen zijn tong is al zo zwaar als een volwassen olifant, en zijn hele lijf weegt 160.000 kilogram! De kolos wint niet alleen de hoofdprijs in de categorie zwaarste zeebeest. Hij is met z'n megalijf het gewichtigste dier ter wereld.

160.000

0,1

2

Reusachtig reptiel

Van alle reptielen op aarde is de zoutwaterkrokodil het zwaarst. Hij kan wel 1.000 kilogram wegen! Deze gevaarlijke gast groeit goed door alles te eten wat hij maar te pakken kan krijgen. Maar meestal kluift hij op vogels, vis, kleine zoogdieren en schildpadden.

3

KANJER VAN EEN INSECT

De goliathkever staat met stip op nummer één bij de insecten. Deze rakker van 10 centimeter kan wel 100 gram wegen. Dat is evenveel als twintig suikerklontjes! Het dier smult van nectar en vocht uit fruit. Mjam!

1.000

ZUINIGE AUTO

WAT IS PLAS?

Nat, geel en heel irritant (als je nodig moet terwijl je nét lekker aan het buitenspelen bent). Dat is plas zeker. Maar waar bestaat het eigenlijk uit? Lees snel verder!

0,2% creatinine ······

0,4% natrium ······

3,2% ureum ······
Dit is de belangrijkste afvalstof in je plas, deze ontstaat door de afbraak van eiwitten.

SNELLE FEITJES

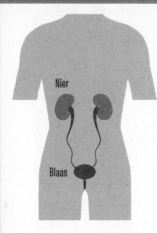

Nier

Blaas

Elke minuut gaat een kwart van al het bloed in je lichaam door je nieren heen. Dat is ongeveer één liter per minuut. Je nieren filteren uit dit bloed het water en alle chemische stoffen die je lichaam niet nodig heeft. Deze vloeibare mix, urine, wordt opgeslagen in je blaas.

Formaat van een lege blaas

Halfvol

Formaat van een volle blaas

Als je blaas gevuld wordt met plas, rekt-ie uit zoals een waterballon. Een lege blaas is ongeveer net zo klein als een pruim. Een volle is zo groot als een grapefruit! De wand van je blaas is gemaakt van spieren die kunnen samenknijpen om de plas eruit te 'spuiten'.

Wetenschappers hebben meer dan 3.000 verschillende chemische stoffen in menselijke plas ontdekt.

0,2% andere afvalstoffen

0,3% kalium

0,7% chloride
Natrium en chloride maken samen zout

PLASFOTO

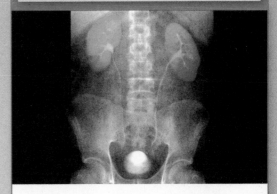

Dokters kunnen checken of je nieren goed werken door een speciaal soort röntgenfoto te maken waarbij je plas te zien is. De dokter spuit eerst een beetje chemische stof in je bloed, genaamd jodium. Dit kan geen kwaad. Het stofje is te zien op een röntgenfoto. Een paar minuten later hebben je nieren dit chemische goedje weer uit je bloed verwijderd en is er een schone blaas te zien op de foto.

90-98% water

Plas van mensen is een super-ingewikkelde vloeistof; de samenstelling ervan is elk uur weer anders, al is het grootste deel ervan wel altijd water. Als je te veel water drinkt, wordt je bloed dunner en filteren je nieren er ook meer water uit. Ze halen dus niet alleen alle afvalstoffen uit je bloed. Nieren houden ook je waterpeil in balans. Handig!

DOORDENKER

Deze strandfoto's lijken precies hetzelfde,
maar er zijn zes verschillen te vinden. Zie jij ze?

ZOEK DE VERSCHILLEN

Kijk voor alle oplossingen op bladzijde 95, 96, 97 en 98.

De woestijn zegt hallo!

Midden in de Atacama-woestijn begroet ineens een grote linkerhand je. Dit enorme beeld van bijna twaalf meter hoog staat er niet zomaar. Het is gemaakt door kunstenaar Mario Irarrázabal. Hij wilde iets opmerkelijks bouwen dat de lege ruimte van de woestijn zou opvullen. Dat is natuurlijk onmogelijk, maar het beeld is inmiddels een enorme toeristische trekker. Je komt er trouwens niet zomaar, je bereikt het beeld pas na uren rijden door de brandende zon.

IN PERU STAAT DE ANDERE HAND, GEMAAKT DOOR DEZELFDE KUNSTENAAR

START JE EIGEN

CLUB!

In de vakantie heb je alle tijd om leuke dingen te doen.... Was er maar een leuke club waarmee je op avontuur zou kunnen. Goed nieuws, met dit stappen-plan start je die club lekker zelf.

Kies je club

Wil je een activiteit doen met anderen? Iets goeds doen of iets nieuws leren? Of juist actievoeren? Bedenk waarom je een club gaat oprichten.

....

....

....

EHBC*

Heb je geen idee wat voor club je wilt? Check dit lijstje voor wat inspi!

Actieclub	Buitenspeelclub
Anti-verveelclub	Gameclub
Knutselclub	Vis-club
Sportclub	Skateclub
Kennisclub	Techclub
Schaakclub	

*Eerste hulp bij clubs

Wat gaat je club doen?

Nu weet je wat het doel van je club is. Hoog tijd om te beslissen wat je club precies gaat doen. Hou het haalbaar. Wil je alle kikkers van het land redden? Begin dan in de sloot achter je huis. Of welke dingen wil je met je knutselclub maken? Schrijf je plannen op!

....

....

....

....

Hoe gaat je club dat doen?

Wat heb je nodig om de activiteiten van je club uit te voeren? Zijn dat skateboards om te kunnen skaten? Of laptops om te kunnen gamen? Maak een lijstje.

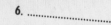

1. ....
2. ....
3. ....
4. ....
5. ....
6. ....

Bepaal je plek

Elke club heeft een clubhuis nodig.
Of tenminste een plek waar je samenkomt.
Dat kan bij je thuis zijn, in de speeltuin of
de bibliotheek. Of bouw een hut op een
geheime spot! Pssst... vergeet niet te
checken of je er met je clubje mag komen!

....

Hoe vaak komt je club bij elkaar?

Trommel je de clubleden elke dinsdag op? Of spreken
jullie elkaar twee keer per jaar? Hoe vaak wil je dat jullie
elkaar zien? Welke andere dingen vind je belangrijk?

....
....
....
....
....
....
....
....
....
....

WIE HEB JE NODIG BIJ JE CLUB?

Een handige Harry? Een superslimmerik? En een durfal?
Schrijf hieronder types die je graag bij je club wilt.
Als je al namen bij de types weet, schrijf je die erachter.

1. ....
2. ....
3. ....
4. ....
5. ....

Bedenk een naam

Een plan? Check. Nu nog een naam. Bedenk er een die al een beetje verklapt wat je gaat doen. Hoe je dat doet? Maak een woordenwolk van woorden die met jouw club te maken hebben. Leg je ideeën even weg en kijk er op een later tijdstip nog eens naar. Er borrelt vanzelf een te gekke naam in je op!

ZO GAAT MIJN CLUB HETEN:

....

Dit is jouw club!

Als iemand ernaar vraagt is het handig dat je kort en bondig over je club kunt vertellen. Dat blijft beter hangen dan een lang verhaal. Omschrijf in twee zinnen wat jouw club is en wat-ie gaat doen. Zelfs handig als je een geheime club hebt, want je moet wel aan de leden kunnen uitleggen wat het is natuurlijk.

....
....
....
....

Ontwerp een logo

Maak een logo dat perfect bij jouw club past. Het kan bestaan uit je clubnaam, je clubnaam en een tekening of alleen een tekening. Ga je voor sierlijke of strakke letters? En kies je voor kleur of zwart-wit? Ontwerp hiernaast jouw clublogo! Kun je niet kiezen? Maak dan meerdere opties en laat de anderen stemmen op hun favo logo.

OPTIE 1

OPTIE 2

OPTIE 3

OPTIE 4

Flyeren maar!

Een club is geen club zonder... leden! Bedenk eerst wie er allemaal bij mogen.
Zijn dat alleen je beste vrienden? Of wil je ook andere enthousiaste kinderen erbij?
In dat geval kun je een flyer ontwerpen die je verspreidt. Knip, plak,
scheur, teken of verf de allerleukste flyer die je kunt maken. Dit moet
er in elk geval op staan:

✔ Je logo
✔ De naam van je club
✔ Wat de club gaat doen
✔ Waar en bij wie nieuwe leden zich kunnen aanmelden

Maak kopietjes van de bladzijdes en verspreid ze.

AAN DE SLAG!

Applausje voor jezelf: jij hebt
een te gekke club bedacht.
En nu, hup aan de slag
met je club!

ZOEK 'T UIT

1

2

3

AAN TAFEL

Bon appétit! Enjoy your meal! ¡Que aproveche! Welk gerecht vind je in welk land? Smakelijk quizzen!

4

5

6

7

A. Italië · B. Marokko ·
C. Frankrijk · D. Engeland
· E. Australië · F. Duitsland
· G. België · H. Nederland ·
I. Portugal · J. Spanje ·
K. Griekenland

8

9

10

11

WAAR OF niet waar?

Er gaan de vreemdste verhalen rond. Weet jij welke wel en niet waar zijn? Kleur je keuze in!

1 DE SCHETEN VAN JONGENS STINKEN ERGER DAN DIE VAN MEISJES.
● WAAR ● NIET WAAR

2 IN DE STAD KAN HET ZEVEN GRADEN WARMER ZIJN DAN OP HET PLATTELAND EROMHEEN.
● WAAR ● NIET WAAR

3 BARCELONA HEEFT EEN ZELFGEMAAKT STRAND.
● WAAR
● NIET WAAR

4 MEIDEN NEMEN VAKER EEN FLINKE HAP VAN HUN IJS DAN JONGENS.
● WAAR ● NIET WAAR

OP DE BODEM VAN DE MIDDELLANDSE ZEE GROEIT GRAS DAT AL MEER DAN 100.000 JAAR OUD IS.
● WAAR ● NIET WAAR **6**

5 EEN ZEEAREND ZIET VIER KEER ZO SCHERP ALS EEN MENS.
● WAAR ● NIET WAAR

7

DE GROOTSTE KAMELEON TER WERELD WOONT OP MADAGASKAR.

○ WAAR
○ NIET WAAR

8

HET GROOTSTE IJSJE OOIT WAS TWEE METER HOOG.

○ WAAR
○ NIET WAAR

9

DE KLEINSTE KAMELEON TER WERELD WOONT OP MADAGASKAR.

○ WAAR ○ NIET WAAR

10

DE MUSKUSOS IS EEN OSSENSOORT.

○ WAAR
○ NIET WAAR

11

IN ITALIË KUN JE PIZZA UIT EEN AUTOMAAT HALEN.

○ WAAR ○ NIET WAAR

12

ER ZWEMMEN 28.000 BADEENDJES IN DE OCEAAN.

○ WAAR ○ NIET WAAR

13

EEN WATERMELOEN BESTAAT VOOR DE HELFT UIT WATER.

○ WAAR ○ NIET WAAR

Kijk voor alle oplossingen op bladzijde 95, 96, 97 en 98.

TEKST: JILL VAN REMUNDT • FOTO'S: SHUTTERSTOCK

Waar dienen vinnen voor?

WC-BINGO

Jeej, ik doe mee!

De wc thuis en op school ken je wel, maar op vakantie kom je heel veel nieuwe toiletten tegen. Streep af wat je er ziet!

☐ **SPETTERS**

HOE KLEINER DE AFSTAND TOT DE WC, HOE MINDER SPETTERS ER WORDEN GEMAAKT. EEN DRUPPEL PLAS VALT AL NA TIEN CENTIMER UIT ELKAAR.

☐ **AUTOMATISCHE KRAAN**

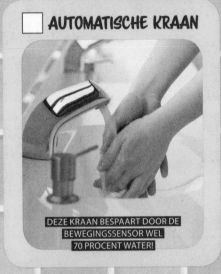

DEZE KRAAN BESPAART DOOR DE BEWEGINGSSENSOR WEL 70 PROCENT WATER!

☐ **BRIL DICHT!**

HATSJOE!

MET EEN DICHTE WC-DEKSEL VOORKOM JE HET 'NIES-EFFECT': DE WOLK VAN SPETTERS DIE UIT DE WC KOMT ALS JE 'M DOORTREKT. NU ZIT DIE NIES TEGEN DE DEKSEL GEPLAKT.

☐ **ZEEPPOMPJE**

ZING TIJDENS HET WASSEN TWEE KEER HET LIEDJE 'HAPPY BIRTHDAY', DAN HEB JE LANG GENOEG GESCHROBT.

☐ **SNELLE VERSPREIDER**

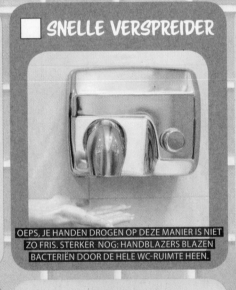

OEPS, JE HANDEN DROGEN OP DEZE MANIER IS NIET ZO FRIS. STERKER NOG: HANDBLAZERS BLAZEN BACTERIËN DOOR DE HELE WC-RUIMTE HEEN.

☐ **DOEKJE VAN PAPIER**

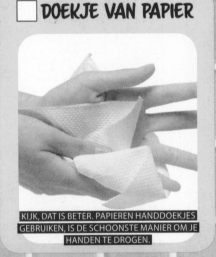

KIJK, DAT IS BETER. PAPIEREN HANDDOEKJES GEBRUIKEN, IS DE SCHOONSTE MANIER OM JE HANDEN TE DROGEN.

☐ **DROL GESPOT!**

GETSIE, DEGENE VOOR JE HEEFT NIET DOORGETROKKEN!

☐ **OPPERDEPOP**

EEN VAN DE DINGEN DIE MENSEN 'T ALLERVERVELENDS VINDEN OP DE WC? EEN LEGE WC-ROL!

☐ **TEGELWIJSHEID**

Zoals het potje thuis poept, poept het nergens

FAVORIET BIJ OMA'S, TEKSTEN OP DE WC'S. EEN BOEKJE OF ANDERE TEKST TELT OOK!

TEKST: TESS DUMITRU • FOTO'S: SHUTTERSTOCK

Waarom vallen haaien surfers aan?

Journalisten die zich 's zomers suf vervelen zijn dol op die haaienverhalen. Een haaienaanval komt groots in de krant.

Vandaag gebeurt het in zee, maar morgen vallen ze u misschien wel THUIS aan!

Daardoor denken mensen dat het heel vaak gebeurt, maar minder dan tien mensen worden jaarlijks aangevallen.

O, dat valt wel mee...

Terwijl er bijvoorbeeld elk jaar 1,3 miljoen mensen ter wereld omkomen door verkeersongelukken.

Terug naar de haaien. Er zijn diverse redenen waarom ze dichter bij de kust komen. Ten eerste omdat regenbuien organisch afval naar zee spoelen.

Andere reden: het huisafval dat de zee in drijft. De haaien vinden daar eten tussen, terwijl er in hun jacht-gebied juist steeds minder vis te vinden is dat ze kunnen eten.

Wat een ellende, waar is de vis?

In de super-markt...

En is de haai eenmaal aan de kust, dan ziet-ie daar z'n favoriete hapje! De mens?

Nee, de schildpad! Maar die lijken van onderaf op elkaar:

Want haaien kunnen knappe trucjes met hun ogen (ze zien in het donker!) maar ze zijn bijziend. En daarmee is onderscheid maken tussen een surfer en een schildpad lastig...

Tot het tegendeel is bewezen...

LES POURQUOI EN BD TOME 1 BY PHILIPPE VANDEL, ALAN & MADD ©JUNGLE/ KÉRO EDITIONS • VERTALING: MARIELLA MANFRÉ

VET VREEMD!

Vertel deze vreemde weetjes aan je vrienden en niemand zal je geloven!

DE AFRIKAANSE LONGVIS HOUDT EEN ZOMERSLAAP IN PLAATS VAN EEN WINTERSLAAP.

DE EIFFELTOREN IS IN DE ZOMER VIJFTIEN CENTIMETER LANGER DAN IN DE WINTER.

DOOR HET ZONLICHT WORDT EEN GOUDVIS MOOI GOUD EN ORANJE, ANDERS ZOU-IE WIT ZIJN!

KATTEN KUNNEN OOK ALLERGISCH ZIJN VOOR MENSEN.

HAHAHA... TJOEEEEE!

HET BOEK DAT HET VAAKST WORDT GEPIKT UIT DE BIEB, IS HET BOEK *GUINNESS WORLD RECORDS*.

TOEN TWEE MENSEN EENS EEN TAARTSCHAAL NAAR ELKAAR OVERGOOIDEN BEDACHTEN ZE PROMPT EEN NIEUWE SPORT: FRISBEEËN!

IN INDIA STAAT HET TOILETMUSEUM, HIER KUN JE ALLERLEI WC'S BEKIJKEN.

COCA-COLA WAS VROEGER GROEN.

TEKST: JILL VAN REMUNDT • FOTO'S: SHUTTERSTOCK

ECHT OF NEP?!
Weet jij welke van deze dieren echt bestaan?

Op onze planeet wonen heel wat wonderlijke wezens. Weet jij welke van deze dieren echt zijn? Vink het aan!

Kijk voor alle oplossingen op bladzijde 95, 96, 97 en 98.

PASPOORT
NAAM: LORI VAN DE BLAUWE BERGEN
WOONT IN: AUSTRALIË
WONDERLIJK: VLIEGT SNELLER DAN EEN AUTO DOOR JOUW STRAAT RIJDT.

○ ECHT ○ NEP

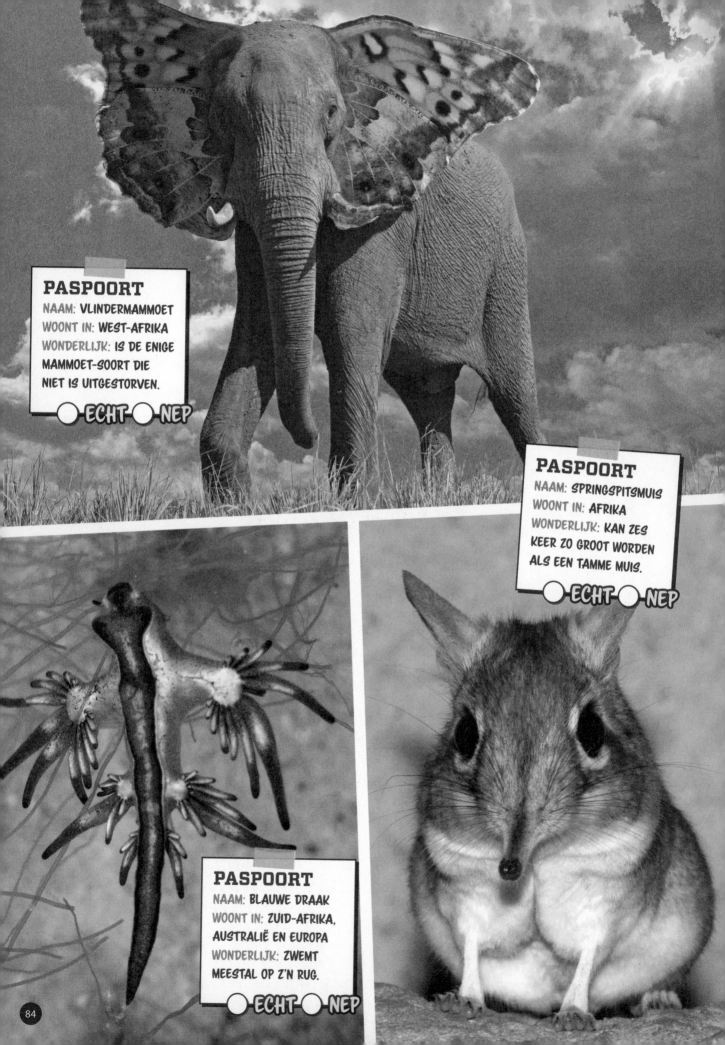

PASPOORT

NAAM: VLINDERMAMMOET
WOONT IN: WEST-AFRIKA
WONDERLIJK: IS DE ENIGE
MAMMOET-SOORT DIE
NIET IS UITGESTORVEN.

○ ECHT ○ NEP

PASPOORT

NAAM: SPRINGSPITSMUIS
WOONT IN: AFRIKA
WONDERLIJK: KAN ZES
KEER ZO GROOT WORDEN
ALS EEN TAMME MUIS.

○ ECHT ○ NEP

PASPOORT

NAAM: BLAUWE DRAAK
WOONT IN: ZUID-AFRIKA,
AUSTRALIË EN EUROPA
WONDERLIJK: ZWEMT
MEESTAL OP Z'N RUG.

○ ECHT ○ NEP

PASPOORT

NAAM: DRYOCAMPA RUBICUNDA

WOONT IN: NOORD-AMERIKA

WONDERLIJK: DEZE NACHTVLINDER VLIEGT OVERDAG

◯ ECHT ◯ NEP

PASPOORT

NAAM: BERGDUIVEL

WOONT IN: AUSTRALIË

WONDERLIJK: 'DRINKT' WATER MET ZIJN HUID.

◯ ECHT ◯ NEP

PASPOORT

NAAM: MALEISE SPIEGELPAUW

WOONT IN: AZIË

WONDERLIJK: KOMT NOOIT HOGER DAN 300 METER BOVEN DE ZEE.

○ ECHT ○ NEP

PASPOORT

NAAM: SEMICOSSYPHUS RETICULATU

WOONT IN: AZIË

WONDERLIJK: KAN ZICHZELF VERANDEREN IN EEN MANNETJE OF VROUWTJE.

○ ECHT ○ NEP

PASPOORT

NAAM: LOVIRA RAPTA
WOONT IN: OOST-EUROPA
WONDERLIJK: WOONT
IN EEN GROEP MET WEL
50 SOORTGENOTEN.

◯ ECHT ◯ NEP

PASPOORT

NAAM: RAINBOW LEPIDOPTERA
WOONT IN: DE AMAZONE
WONDERLIJK: DE GEKLEURDE
VLEUGELS VAN DIT BEESTJE
VERBLINDEN ZIJN VIJAND.

◯ ECHT ◯ NEP

PASPOORT

NAAM: PINOKKIO-HAGEDIS
WOONT IN: PERU
WONDERLIJK: LAAT
GRAAG ZIEN DAT-IE DE
GROOTSTE HEEFT.

◯ ECHT ◯ NEP

 **STRIP**

INSECTEN

Springstaart

88 CAZENOVE, VODARZAC & COSBY © STANDAARD UITGEVERIJ 2020

Celciuskraker

Wat is de hoogste temperatuur die ooit is gemeten op aarde? Kraak de code en je weet het!

Oplossing

. . . . . °C

○	☼	☼	☀
E	U	V	J
L	I	S	A
M	N	T	Z
V	O	F	W
P	K	H	G

Kijk voor alle oplossingen op bladzijde 95, 96, 97 en 98.

PUZZEL: MIRTHE NIEHOFF

QUIZ

In de zomer staat hij hoog aan de hemel te stralen. De zon!
Wat weet jij over deze hete bol? Doe de zonnequiz!

Ben jij een ster in zonneweetjes?

1

De zon is een....

A ...maan.

B ...ster.

C ...planeet.

2

Wat is waar?

A Zonder zon kun je op aarde leven.

B De zon draait om de aarde.

C De zon is al 4,6 miljard jaar oud.

3

Hoe groot is de zon?

A Er passen tien aardbollen in.

B Er passen duizend aardbollen in.

C Er passen meer dan een miljoen aardbollen in.

4

Hoe heet is het binnen in de zon?

A 1.500 graden Celsius.

B 15.000 graden Celsius.

C 15.000.000 graden Celsius.

Kijk voor de oplossing op bladzijde 95, 96, 97 en 98.

5
Welke vormen energie levert de zon?

A Warmte- en lichtenergie.

B Golf- en warmte-energie.

C Licht- en golfenergie.

6
Wat is waar?

A In de winter staat de aarde verder van de zon.

B In de winter staat de aarde dichter bij de zon.

C De aarde staat altijd even dichtbij de zon.

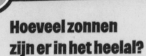

7
Wat gebeurt er als de zon 'wakker' wordt?

A Dan wordt het ochtend.

B Dan spuugt de zon meer met stroom geladen deeltjes de ruimte in.

C De zon wordt nooit wakker, want die is al wakker.

8
Hoeveel zonnen zijn er in het heelal?

A Maar één natuurlijk.

B Ongeveer honderd.

C Er zijn meer zonnen in het heelal dan zandkorrels in de Sahara.

TEKST: MIRTHE NIEHOFF • FOTO'S: GETTY IMAGES, SHUTTERSTOCK

STRIP

VERRASSING

TEKST: FERDI FELDERHOF • TEKENINGEN: SONIA ALBERT, VIKTOR VENEMA

MOPPEN

Het is groen met wit en het ontploft.

Boemkool

Het is groen en draagt een coole zonnebril.

Stoerenkool

WAT IS BLAUW MET GEEL?

Groen

HET IS GROEN EN HEEL ZWAAR.

EEN OLIFANT

Het is groen en het komt van een berg af gestormd.

Een slawine

HAHAHAHAHA HIHIHIHIHIHIHI

HET IS GROEN EN ZIT OP EEN HEK.

Verf

Het is bruin met groen en ligt in een deuk.

Een beschimmelde boterhahahaham

Het is groen en het roetsjt van de glijbaan.

Angljivie

HET IS GROEN MET BRUIN EN ZIT IN DE KOEKTROMMEL.

EEN BISKIWI

Het is groen en heeft een gewei.

Een dophertje

Het is groen en het moppert.

Een bromkommer

Het einde van de dino's

OPLOSSINGEN

Bladzijde 13
ZOEK DE VERSCHILLEN

Bladzijde 10

WAAR OF NIET WAAR

1. Niet waar: er is weleens een koe overleden na de steek van dit dier. Maar dat kwam doordat de wond ging ontsteken. Normaal gesproken overleven koeien de steek makkelijk. De rode fluweelmier is trouwens geen mier maar een wesp!

2. Waar: pas 150 jaar geleden ontdekten mensen dat ze verschillende appels met elkaar konden kruisen. Zo kweekte Maria Ann Smith de eerste groene appel: de Granny Smith in 1868. Weet je meteen waar de appel z'n naam van heeft!

3. Niet waar: sterker nog, als je zware oefeningen doet, maak je je spieren een beetje kapot (spierpijn!). De kleine scheurtjes die ontstaan worden door je lijf gerepareerd en de plek waar dat scheurtje zat wordt extra sterk. Zo wordt je spier na een paar dagen wel een beetje groter.

4. Waar: de mannetjes maken dit geluid door met een speciaal orgaan aan de onderkant van hun vleugel over de bovenkant van de andere vleugel te strijken. Het lijkt wel vioolspelen. Hiermee maken ze indruk op de vrouwtjes. Romantisch hoor!

5. Waar: je hersencellen 'praten' met elkaar dankzij elektrische signaaltjes. Je hersenpan gebruikt daarvoor vergelijkbaar veel energie als 11 Watt per kilo hersenen. Een spaarlamp gebruikt tussen de 6 en 25 Watt.

6. Waar: het laagje ijs werkt als een iglo. Binnenin is het warmer dan in de buitenlucht. Hierdoor kan de vrucht niet bevriezen. Bij het bevriezen van water komt er ook een beetje warmte vrij. Dit maakt het binnen in de 'iglo' nog wat warmer.

7. Niet waar: hij staat op nummer 2. De winnaar is de pistoolgarnaal. Die heeft twee scharen, waarvan één ontzettend groot is. Tijdens het jagen klapt hij zijn grote schaar keihard dicht. Dat maakt meer lawaai dan een opstijgende straaljager!

8. Waar: je gewicht op aarde wordt bepaald door de zwaartekracht. Die ontstaat doordat de aarde een grote massa heeft. De maan is een stuk kleiner en lichter dan de aarde. Daardoor is de zwaartekracht van de maan zes keer minder sterk dan die van de aarde en weeg je dus ook zes keer zo weinig.

9. Niet waar: nou ja, een bij kan makkelijk meer! Soms maakt het zoemende beestje wel 250 kilometer op één dag.

10. Waar: in het steeltje van de paardenbloem zit melk waar paarden erg ziek van kunnen worden. En dat is dikke pech, want ze lusten de bloemen graag! Misschien hadden ze beter 'niet voor paardenbloemen' kunnen heten!

11. Niet waar: de tornado's in Nederland zijn een stuk minder heftig dan die aan de andere kant van de oceaan. Maar de ronddraaiende wervelwinden komen ook hier weleens voor.

12. Waar: of je haar er erg lekker van gaat ruiken is nog maar de vraag. Maar sommige mensen gebruiken het omdat ze geloven dat de pies helpt tegen hoofdluis. Anderen geloven dat hun haar er mooi van gaat glanzen.

Bladzijde 16

WAT WEET JIJ VAN KOLIBRIES?

1.C (Er zijn wel 360 soorten en die leven allemaal in Zuid- of Noord-Amerika.)

2.A (Met zijn zes centimeter is het de kleinste vogel ter wereld.)

3.C (Een kolibrie drinkt nectar en dat zit in sommige bloemen diep weggestopt.)

4.C (Hij kan ook nog recht omhoog en recht omlaag vliegen.)

5.C (Zijn snavel lijkt op een zwaard en is even lang als zijn eigen lijf.)

6.A (Wel 15 tot 80 keer per seconde. Dat hangt af van hoe groot de vogel is.)

7.B (Hij kiest het liefst rode en oranje bloemen om uit te drinken.)

Bladzijde 29
ZOEK DE VERSCHILLEN

OPLOSSINGEN

Bladzijde 30
WAAR OF NIET WAAR

1. Waar: sommige plekken in de Alpen en in Scandinavië zijn zo hoog dat er het hele jaar sneeuw ligt. De weg naar het Noorse skigebied Fonna is in de winter zelfs zo besneeuwd dat je er alleen in de zomer kunt 'wintersporten'.

2. Waar: net als jij gaan vogels hijgen als ze het warm hebben. Het beestje probeert door te hijgen de hitte via zijn tong en bek kwijt te raken.

3. Waar: in de ijssalon vind je de lekkerste smaken. Aardbeienijs, chocoladeijs, vanille... maar een goeie ijsmaker kan net zo goed kaasijs of haringijs maken. Zou jij dat willen proeven?

4. Niet waar: de rode reuzenkangoeroe kan wel dertien meter verspringen! Dit doet hij alleen als hij in gevaar is. Is er niks aan het handje? Dan maakt-ie sprongen van zo'n twee meter. Met een beetje moeite lukt jou dat ook net.

5. Waar: de Etna staat op het Italiaanse eiland Sicilië. De zwaartekracht trekt aan de vulkaan en daardoor kruipt-ie richting zee. Erg hard gaat dit niet. De vulkaan verschuift minder dan tweeëneenhalve centimeter per jaar. Je nagels groeien sneller!

6. Niet waar: loop je over het strand, voel je ineens iets glibberigs tussen je tenen. Iel! Het lijkt een druif, maar dit gladde bolletje is allesbehalve eetbaar. Het is een ribkwal! Het beestje dankt z'n naam aan hoe hij eruit ziet. Het is net een doorzichtige druif.

7. Niet waar: ooit woonden er 29 hommelsoorten in Nederland, maar er zijn er inmiddels 8 verdwenen. Met de overige soorten gaat het ook niet zo goed. De beestjes hebben diepe bloemen nodig. Wil je helpen? Plant die dan in de tuin of op het balkon.

8. Deels waar: een duikboot heeft speciale luchtkamers. Deze kamers kunnen volgepompt worden met water of met lucht. Hierdoor kan een onderzeeër duiken en weer omhoogkomen. In de cabines van de onderzeeër blijft het dus gewoon droog. Pff... gelukkig maar!

9. Niet waar: we gebruiken meer dan het dubbele per dag. Gemiddeld zo'n 107 liter water per persoon. Da's meer dan 220 drinkflessen vol. Waar je dat allemaal bij gebruikt? Douchen, wc doortrekken, handen wassen, afwassen, eten klaarmaken... let maar eens op hoe vaak je een kraan aanzet!

10. Waar: bijna één op de vijf huishoudens heeft een hond! Dat betekent dat er in Nederland 1,7 miljoen hondjes rondlopen. En daarvan mogen ongeveer 510.000 mee op vakantie. Wel zo gezellig!

11. Deels waar: op de plek van een sproet zitten cellen die veel pigment maken. Dit is eigenlijk een soort kleurstof. Zonlicht zorgt ervoor dat deze cellen meer pigment maken. Je krijgt dan sproetjes! De pigmentcellen verdwijnen niet in de winter.

12. Waar: al het voedsel dat een vogel gegeten heeft, gaat snel door zijn lichaam. Daarom is er helemaal geen tijd om windjes te laten. Ook mist een vogel de bacteriën in zijn darmen die bij jou scheetjes veroorzaken. Helaas kakken ze wel overal!

13. Deels waar: de meeste krokodillen zijn liever in zoet water, maar de zoutwaterkrokodil woont in de zee. Daar heeft de joekel van wel acht meter lengte lekker de ruimte.

Bladzijde 36
SLIJMERIGE QUIZ

1. C (Je maakt per dag 1 tot 1,5 liter snot en ander slijm. Dat slik je door zonder te merken of snuift het op.) • **2. B** (Die zitten op meerdere plekken in je lijf. In je neus, keel, darmen en luchtpijp bijvoorbeeld.) • **3. C** (Met lijm, lenzenvloeistof en scheerschuim maak je slijm) • **4. C** (Het is niet ongezond, maar helpt je ook niet.) • **5. A** (Het slijm maakt hij in de onderkant van zijn lijf en komt op straat terecht. Hierdoor wordt die gladder en glijdt de slak er makkelijker overheen.) • **6. B** (Die laag slijm zit op hun lijf om roofdieren af te schrikken) • **7. A** (Hij schiet twee kleverige draden weg, waarmee hij kleine prooien verlamt.) • **8. C** (Je tong is zo flexibel omdat hij maar aan één kant vast zit.).

Bladzijde 48 DOORDENKERS

ABC'tje
Strand

Lastige letter
De letter a

Blokken tellen
19 blokken

Magische driehoek
31 driehoeken

Net niet
Dobbelsteen 2

Rare som

 = 4

 = 5

 = 6

Bladzijde 50
WAAR OF NIET WAAR

1. Waar: struisvogels zijn de snelste landdieren met twee poten. 75 kilometer per uur rennen houden ze alleen niet lang vol. Wel rennen ze met gemak een halfuur lang vijftig kilometer per uur.

2. Niet waar: met zijn grote ogen kan een struisvogel tot wel 3,5 kilometer ver kijken.

3. Niet waar: struisvogels zijn behoorlijk sterk, maar ook snel moe. Verder zijn ze veel te snel afgeleid.

4. Waar: het brein van een struisvogel heeft het formaat van een walnoot. Daarmee zijn de hersenen kleiner dan de ogen van een struisvogel!

5. Niet waar: struisvogels sissen, snuiven en fluiten, maar piepen niet. Als er gevaar dreigt, laat het mannetje een diepe galm horen. Die doet denken aan de brul van een leeuw. Indrukwekkend!

6. Niet waar: door z'n enorme gewicht (150 kilogram!) en kleine vleugels kan een struisvogel niet vliegen. Maar er zijn meer vogels die je nooit in de lucht zult tegenkomen. Denk aan een emoes, een pinguïn of een loopvogel als de kiwi.

Bladzijde 54
100% GEVAARLIJKE QUIZ

1. A (Een neushoorn ziet niet goed en kan niet klimmen. Als je hem laat schrikken, stormt-ie gegarandeerd op je af!). **2. B.** (De kegelslak heeft maar 2,1 milligram gif nodig om een volwassen mens te doden. Dat is evenveel als zo'n 20 korreltjes suiker. Pythons zijn wurgslangen. Een vogelspin heeft wel gif, maar een beet is vergelijkbaar met een wespensteek.) **3. A.** (De vorm en het materiaal van een auto zorgen ervoor dat de bliksem langs de buitenkant in de aarde kan verwijnen. Ga niet douchen tijdens onweer. Water geleidt de elektriciteits-stroom van de bliksem waardoor je juist geraakt kunt worden.) **4. A.** (Nieuw-Zeeland staat op de tweede plek en Nederland staat op nummer 21). **5. C** (De mug maakt elk jaar 725.000 dodelijke slachtoffers. Daarmee wint-ie het van de mens. De haai maakt elk jaar zo'n honderd slachtoffers (niet altijd met de dood tot gevolg).) **6. A.** (De snelste tornado haalde een snelheid van 500 kilometer per uur, de snelste auto ging 'slechts' 455,3 kilometer per uur.) **7. A.** (Op de fiets gebeuren de meeste ongelukken.) **8. C.** (De T. rex kon helemaal niet rennen (hij hield altijd één poot aan de grond). Hij liep snelwandelend maximaal 40 kilometer per uur.)

Bladzijde 61 BRUGGEN BOUWEN

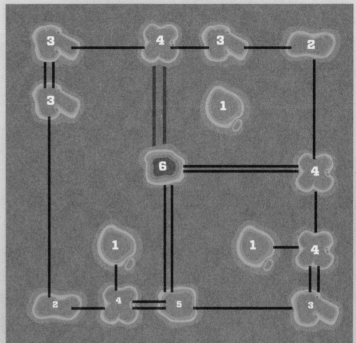

Bladzijde 68
ZOEK DE VERSCHILLEN

7. Niet waar: het is een hardnekkig fabeltje dat struisvogels hun kop in het zand steken. Hij legt z'n kop wel óp het zand. Daardoor hoopt hij minder op te vallen.

8. Waar: de eieren van een struisvogel zijn ongeveer zo groot als de onderkant van een ananas en wegen wel anderhalve kilogram. Da's 24 keer zoveel als een kippenei.

9. Waar: struisvogels zijn de grootste vogels die op onze planeet rondlopen. Ze zijn zo lang als een volwassene. Meer dan duizend jaar geleden liep er nog een grotere vogel rond op aarde. De olifantsvogel werd bijna drie meter lang. Wat een joekel!

10. Waar: samen zijn deze dieren erg slim. Een struisvogel kan goed zien. Een zebra en een antilope ruiken juist als de beste. Samen hebben ze dus meer kans om een roofdier aan te zien komen. Ze helpen elkaar een handje.

11. Niet waar: struisvogels hebben maar twee tenen. Eén van deze tenen is een stuk groter dan de andere. Aan deze teen zit een grote nagel. Hierdoor doet-ie een beetje denken aan een hoef.

12. Waar: als een mannelijke struisvogel een vrouwtje heeft gevonden, roept hij haar. Dit doet hij voor zijn keel vol lucht te zuigen. Hierdoor wordt zijn nek wel drie keer zo groot als normaal.

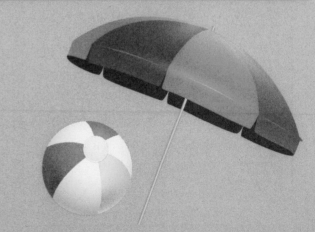

OPLOSSINGEN

Bladzijde 76
WAAR OF NIET WAAR

1. Niet waar: de scheten van meisjes stinken erger! Zwavel is een stofje dat ruikt naar rotte eieren. Vrouwen hebben meer van dit stofje in hun lichaam. Daarom stinken de scheten van meisjes meer.

2. Waar: steen houdt makkelijk warmte vast. De zomerse hitte blijft hierdoor goed opgeslagen in de vele gebouwen in de stad. Het verschil in temperatuur kan daardoor wel vier tot zeven graden zijn.

3. Waar: ondanks dat Barcelona aan de Balearische Zee ligt, had de stad geen strand. Speciaal voor de Olympische Spelen is in 1922 een strand aangelegd. Daar zijn heel veel mensen nog steeds heel blij mee!

4. Niet waar: het zijn juist de jongens die vaker hun tanden in een ijsje zetten dan meiden.

5. Waar: de zeearend heeft supergoede ogen. En dat is handig! Zo ziet-ie z'n prooi al vanaf honderden meters hoogte.

6. Waar: pfoe, dat is wel heel oud! Ondanks z'n leeftijd is het zeegras niet grijs en verschrompeld. Door zichzelf te klonen blijft het plantje altijd fris en fruitig.

7. Waar: de Parsons kameleon is de grootste van zijn soort en leeft alleen op Madagaskar! Het dier kan tot wel 70 centimeter lang worden.

8. Niet waar: het grootste ijsje was nog groter. Meer dan drie meter! De gigantische lekkernij bestond uit 1080 liter ijs. Dat kun je met de hele straat nog niet eens op!

9. Waar: Tijdens een onderzoek op Madagaskar leerden wetenschappers de Brookesia nana kennen. De kleinste kameleon ter wereld. Het diertje is niet groter dan 2,2 centimeter lang. Ook leuk om te weten: het beest slaapt in een grassprietje.

10. Niet waar: de muskusos lijkt op een os, maar na beter onderzoek bleek dat-ie familie is van schapen en geiten! De plas van de muskusos heeft een muskusachtige geur. Zo komt het beest aan zijn naam.

11. Waar: ja echt waar! De Italiaan Claudio Torghel vond een soort snoepmachine uit die in tweeëneenhalve minuut een pizza voor je maakt.

12. Waar: in 1992 verloor een containerschip achtentwintig-duizend badeendjes. De eendjes zwemmen nog steeds rond in de zee. Ze worden nu gebruikt om te zien hoe het water in de oceaan zich beweegt.

13. Niet waar: een watermeloen is een heerlijke snack in de zomer. En dat is niet zo gek want de vrucht bestaat voor wel 95 procent uit water! Lekker verfrissend. Wat wel voor de helft uit water bestaat? Jij!

Bladzijde 90
QUIZ - BEN JIJ EEN STER IN ZONNEWEETJES?

1. B (Net als die andere lichtpuntjes aan de hemel! De zon staat alleen dichter bij de aarde en lijkt daarom veel groter.) **2. C** (En hij heeft nog ongeveer 5 miljard jaar voordat hij opbrandt.) **3. C** (Wow!) **4. C** (Aan de buitenkant is hij 6000 graden Celsius) **5. A** (Golfenergie ontstaat alleen onderwater.) **6. B** (Tijdens onze winter staat de zon wel 5 miljoen kilometer dichter bij de aarde dan in onze zomer. Op het zuidelijk halfrond is dat precies andersom.) **7. B** (De zon is niet altijd even actief. Als de zon 'wakker' wordt, wordt-ie actiever. Het Noorderlicht is nóg mooier bij een wakkere zon.) **8. C** (En dat is alleen nog maar in het deel van het heelal dat we kennen. In het deel dat we niet kunnen zien, zweven er nog veel meer.)